Norbert Wickbold
Denkzettel

Norbert Wickbold

Denkzettel

Die siebte Staffel

1. Auflage
Copyright © 2021 by Norbert Wickbold
Layout, Umschlaggestaltung und Illustration: Norbert Wickbold
Korrektorin: Irene Wickbold
Verlag & Druck: tredition GmbH, Halenreie 40-44, 22359 Hamburg

ISBN: 978-347-16456-7 (Paperback)
ISBN: 978-347-16457-4 (Hardcover)
ISBN: 978-347-16458-1 (e-Book)

*Bibliografische Information der Deutschen Nationalbibliothek:
Die Deutsche Nationalbibliothek verzeichnet diese Publikation in der Deutschen Nationalbibliografie; detaillierte bibliografische Daten sind im Internet über http://dnb.d-nb.de abrufbar.*

Inhalt

Vorwort

Wir sind zwar nicht, wie ich in der letzten Ausgabe in Denkzettel 51 gehofft hatte, alle wieder auferstanden, aber wir sind auch nicht untergegangen. Wahrscheinlich kann mich deshalb so leicht nichts erschüttern, weil ich als Kind der Nachkriegsgeneration im Bewusstsein des bevorstehenden Weltuntergangs aufgewachsen bin. Und das wurde die ganzen Jahre hindurch mit Musik und Gesang begleitet. Hier nun diese etwas andere Chronologie.

Als ich die ersten Denkzettel schrieb, dachte ich noch, ich könnte mich aus den aktuellen politischen und gesellschaftlichen Themen weitgehend heraushalten. Ich wollte zeigen, dass es möglich ist, sich seine Gedanken zu machen, ohne sich dabei von einer Seite vereinnahmen zu lassen. Aber die Denkzettel wären keine Denkzettel, wenn sie nicht gerade Stellung zu den Themen beziehen würden, die aktuell die Gemüter bewegen. Das geht! Und zwar ohne dabei eine der gängigen Positionen einzunehmen. Da ich es überhaupt nicht darauf anlege, recht zu haben, braucht sich auch niemand die Mühe zu machen, meine Darstellungen zu widerlegen. Vielmehr soll der Leser ermutigt werden, seine eigenen Ideen zu dem Thema zu entwickeln. Und wenn der geschätzte Leser mit seinen Überlegungen zu anderen Ergebnissen kommt, freut es mich. Vorausgesetzt er wiederholt nicht nur, was er vorher schon gedacht hatte.

Manchmal erweist sich erst nach vielen Jahren, wie wichtig es war, diesen besonderen Gedanken und diese Idee in die Welt zu setzen. Nur anfangs wurden diejenigen belächelt oder beschimpft. So war das auch mit dem Spruch: Jute statt Plastik. Weil es inzwischen ein Meer von Plastiktüten gibt, werden jetzt in vielen Ländern Plastiktüten verboten. Aber was machen wir mit dem vielen Plastik, das schon im Meer gelandet ist? Damit befasst sich der 62. Denkzettel.

Vertreter bestimmter Berufsgruppen haben manchmal den Eindruck, besonders beladen zu werden. So komme ich mir immer öfter vor wie ein Kamel, das erst schwer bepackt und dann durchs Nadelöhr getrieben wird. Somit habe ich im 63. Denkzettel eine längst überfällige Stellung bezogen.

Zugegeben, manchmal glaube ich besonders schlau zu sein und dann bilde ich mir ein, ich sei so genial, dass ich die ganze Welt verbessern könnte. Dann ist es meist besser, wenn da nichts draus wird. Schließlich muss ich erkennen, dass ich nicht über die Fähigkeit verfüge, die Weisheit mit Löffeln zu fressen. Wer zu sehr von sich überzeugt ist und glaubt, immer die Nase vorn zu haben, muss damit rechnen, dass er am Ende ganz schön auf die Nase fällt.

Ist es nicht seltsam, dass wir, obwohl wir mit den Jahren immer älter werden, an jedem Geburtstag als Geburtstagskind gefeiert werden? Und dazu haben

Sie auch allen Grund. Jedes neue Jahr ist ein neuer Anfang und birgt neue Chancen.

Im 66. Denkzettel habe ich mir Gedanken um die Schnapszahlen gemacht. Vielen werden besondere Bedeutungen zugeschrieben. Da gibt es welche, die eher als Schnapsideen zu bezeichnen wären. Andere werden tierisch ernst genommen und im Grunde sollte man sich davon einfach nicht zum Narren halten lassen.

Während andere sich damit beschäftigen, wie das Böse in die Welt gekommen ist, wende ich mich lieber der Schokoladenseite des Lebens zu. Deshalb habe ich mir im 67. Denkzettel Gedanken über die Entstehung der Schokolade gemacht. Und das wirft ein ganz neues Licht auf die Schöpfungsgeschichte. Einfach lecker!

Mir ist aufgefallen, dass nicht nur der Stress zunimmt, sondern auch ein altbekanntes Phänomen: das Gähnen. Als ich dem nachging, habe ich ganz nebenbei auch noch die Wurzeln von drei Ursprachen gefunden, die namentlich zwar kaum bekannt, aber heute noch in aller Munde sind. Langweilig? Nein, Sie brauchen gar nicht zu gähnen, denn Gähnisch ist auch dabei. Sie sprechen doch Gähnisch – oder?

Mir fallen immer mehr Menschen durch ihre ausgeprägte Dummheit auf. Deshalb habe ich mich damit beschäftigt. Das lässt mir keine Alternative. Kann es sein, dass wir nur deshalb künstliche Intelligenz brauchen, weil die Menschen immer dümmer werden? Können die Lücken, die durch Alzheimer gerissen werden, durch Roboter ersetzt werden? Nein, ich behaupte, es gibt keine Alternative zum eigenständigen Denken.

Was einem alles passieren kann, wenn man Fragen hat, die nicht in den üblichen Rahmen passen, kann im 70. Denkzettel nachgelesen werden. Das ist der ganz normale Wahnsinn! Und trotzdem ist das kein Grund, verrückt zu werden. Lasst Euch nicht verrückt machen. Denkt selbst. Fragt nach, – auch wenn es unnormal ist.

Auf jeden Fall wünsche ich Ihnen ganz viel Spaß beim Lesen, liebe Leserin und lieber Leser ihr

Norbert Wickbold

Und dann geht es mit
Gesang in den
Weltuntergang!

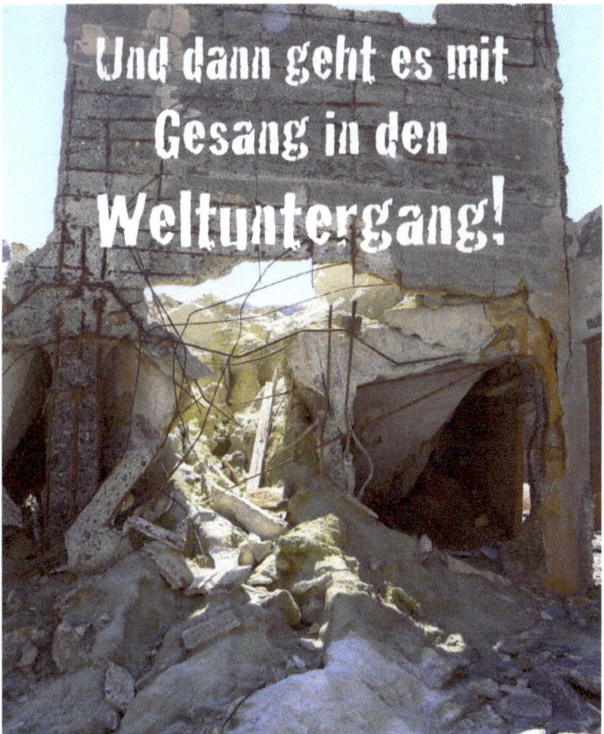

Heilkunst und FarbenPracht©

Norbert Wickbold
Denkzettel Nr. 61

Und dann geht es mit Gesang in den Weltuntergang!

Hier soll es um nichts Geringeres als den Weltuntergang gehen. Ich weiß, damit spaßt man nicht. Man sagt aber auch, dass mit Musik alles besser geht. In einem bekannten Volkslied heißt es:

Wo man singt, da lass dich ruhig nieder,
böse Menschen haben keine Lieder.

Das stimmt wohl nur so lange, wie die Bösen es nicht selbst mit der Angst bekommen. Die bösen Geister der Vergangenheit schmetterten lautstark heraus, dass sie die ganze Welt zur schwarzbraunen Haselnuss machen wollten. Obwohl der Welt und insbesondere Deutschland im Jahr 1942 das Schlimmste noch bevorstand, sang Zarah Leander vollmundig:

Davon geht die Welt nicht unter,
sie wird ja noch gebraucht!

Drei Jahre später war die schwarzbraune Welt nicht mehr zu gebrauchen. Man musste ein neues Lied anstimmen und bei null anfangen. 1953 war der meiste Schutt beseitigt, meine Eltern heirateten, bekamen bald darauf einen Sohn, nämlich meinen Bruder, und man schunkelte ganz vergnügt zu dem Lied:

Am dreißigsten Mai ist der Weltuntergang. Wir leben
nicht mehr lang, wir leben nicht mehr lang!

Als ich drei Jahre später auch noch zur Welt kam, existierte diese immer noch! Dennoch stand der Weltuntergang praktisch jederzeit vor der Tür. Davon waren viele überzeugt. Die einen befürchteten, die schlimme Zeit könnte sich wiederholen und die anderen wollten davon lieber nichts mehr wissen. Unsere Oma hatte zwei Weltkriege miterlebt und glaubte, es würde bald wieder eine Hungersnot geben. Deshalb sollten wir Kinder froh sein, wenn wir Schwarzbrot bekämen. Damals dachte ich, die Älteren hatten den Weltuntergang zum Glück schon hinter sich. Als Kinder der Nachkriegsgeneration waren wir praktisch damit groß geworden, dass uns der nächste Weltuntergang ständig bevorstand. Niemand konnte sagen, wann der kommen würde. Nur, dass er kommen würde, das war gewiss! Unsere Eltern trösteten sich direkt nach den Wirtschaftswunderjahren mit dem Karnevalslied von Ernst Neger:

Heile, heile Gänschen, es ist bald wieder gut.

Als das gar nicht helfen wollte, sollten schon wieder Notstandsgesetze beschlossen werden. Es brach zwar kein Notstand aus, aber die Ruhe war vorbei. Die gerade erst wieder heil gewordene Welt bekam mit dem Aufkommen der Protestbewegung ihre ersten Risse. Es war eben doch nicht alles gut geworden. Da half auch die letzte Zeile des Liedes nicht:

Heile, heile Mausespeck,

in hundert Jahren ist alles weg.

Die Älteren legten immer mehr Speck an und die Jüngeren wollten natürlich keine hundert Jahre warten.

Mit ihren Protesten machten die Achtundsechziger mächtig Gegenwind. Eine ganze Jugendära wurde geprägt durch das Lied von Bob Dylan:

Blowing in den Wind.

Doch hartnäckig wurden all ihre Warnungen in den Wind geschlagen. Obwohl sich viele Menschen nach Frieden sehnten, glaubten einige Politiker, sie könnten einen neuen Krieg riskieren. Sie ließen so viele Waffen bauen, dass sie, um die Kräfte im Gleichgewicht halten und jonglieren zu können, jede Menge Weltuntergänge auf Halde produzierten. Anfang der Achtzigerjahre wuchs die Zahl derer, die von den Rüstungsbeschlüssen auf beiden Seiten des Eisernen Vorhangs schwindlig wurden, dass es die anderen auch mit der Angst bekamen. Friedensbewegt wollten wir ohne Waffen Frieden schaffen, aber durchaus nicht klein beigeben. Wir wuschen gemeinsam unsere unschuldigen Hände in weichem Wasser, wurden immer mutiger und sangen:

Es reißt die schwersten Mauern ein.
Und sind wir schwach und sind wir klein.
Wir wollen wie das Wasser sein.
Das weiche Wasser bricht den Stein.

So laut wir mit der holländischen Gruppe Bots auch sangen, dem weichen Wasser gelang es, keinen der angesammelten Weltuntergänge wegzuspülen. Einerseits entstand so unter den jungen Menschen in Westdeutschland eine eher pessimistische Stimmung. Der Slogan der Zeit lautete: No Future! Andererseits war das auch die Zeit der neuen Deutschen Welle. Eine Zeit der ausgelassenen Fröhlichkeit unter den jungen und jung gebliebenen Menschen. Und die junge Nena versuchte mit *Neunundneunzig Luftballons* die Welt vor dem Untergang zu retten. Allmählich kam es aus der Mode, sich mit dem bevorstehenden Weltuntergang zu befassen und das neue Motto sang dann Markus Mörl: *Ich will Spaß, ich will Spaß!*

Doch aus Spaß wurde schon bald ernst. Als 1986 durch die schwere Atomkatastrophe im russischen Tschernobyl die Welt – mal wieder – am Abgrund stand, war vielen durchaus nicht mehr zum Singen zu Mute. Weil auch die Regierenden gerade nicht auf Weltuntergang eingestellt waren, sangen sie dem erschrockenen Volke das alte Lied vor:

Wir lassen uns das Singen nicht verbieten.

Das Singen nicht und auch die Fröhlichkeit.

Die Welt, die diesmal auch nicht untergegangen war, strahlte munter weiter. Und die Menschen strahlten vor Freude. Oder einfach nur so zum Spaß. 1983 hatte Heinz Rudolf Kunze gesungen:

Wenn sie tatsächlich rote Knöpfe drücken, das Licht der Welt schon morgen ausgeblasen wird, dann ist von diesem Augenblick an alles möglich. Ich habe keine Angst, ich habe keine Angst!

Später erfuhren wir, dass das Licht der Welt im Jahr 1987 tatsächlich beinah ausgeblasen worden wäre. Als bei einem russischen Offizier alle Alarmglocken auf einmal läuteten, behielt dieser zum Glück einen klaren Kopf und verhinderte so den Weltuntergang. Dennoch brach die Welt im Jahr 1989 wirklich zusammen, – allerdings nur im Osten. Die Welt des real existierenden Sozialismus. Nein, nicht die Welt brach zusammen, sondern die Menschen kamen zusammen. Die schwere Mauer wurde tatsächlich eingerissen. Der stete, montägliche Tropfen des weichen Wassers im Osten hatte den Stein wirklich mürbe gemacht. Wie ein Wunder fügte sich die Welt auf einmal neu zusammen. Die Rockgruppe Scorpions besang den zauberhaften *Wind of Change* jener Tage.

Der Sieg des weichen Wassers hatte sich bewahrheitet. Das erstaunte zunächst die Mächtigen, sodass sie sich dazu erweichen ließen, ein paar überschüssige Weltuntergänge zu verschrotten. Die einst sehnsuchtsvoll gesungenen Lieder von der internationalen Solidarität warfen wir in den Mülleimer der Geschichte. Jetzt wurde es global. Wir vergaßen die Gefahr des Weltuntergangs und die Berge von Waffen verschwanden hinter den Warenbergen. Die aus Waren und Konsumgütern errichteten Türme wuchsen bald in den Himmel. Als hier bei uns dafür erst noch Stück für Stück das Fundament gelegt wurde und Nicole in herzzerreißendsten Tönen um *ein bisschen Frieden* bat, sang Rio Reiser schon triumphierend:

Der Turm stürzt ein. Der Turm stürzt ein.

Halleluja, der Turm stürzt ein.

Damals wusste niemand, von welchem Turm überhaupt die Rede war. Doch im Jahre 2001 verlor die Neue Welt ihre Unschuld. Die zwei höchsten Türme der Welt, die Symbole des freien Warenhandels, stürzten ein. Und dann kam der Tsunami, die Flut, die alles mitriss. Das war zweimal Vorgeschmack auf den Weltuntergang. Erst der Sturz der babylonischen Türme und dann die Sintflut! Wenig später gerieten weltweit die Geldtürme einiger steinreicher Dagoberts mächtig ins Wanken. Von da an ging alles so schnell, dass uns immer schwindliger wurde. Hier und da bemerkte jemand den Schwindel und rief verzweifelt:

Halt die Welt an, ich will aussteigen!

Nein, lebend kommen wir nicht von der Welt. Solange wir leben wollen, brauchen wir diese Welt. Wir haben nur die eine! Manche versuchten wegzulaufen:

Achtung, fertig, los und lauf

Vor uns bricht der Himmel auf

Wir schaffen es zusammen übers Ende dieser Welt

Die hinter uns zerfällt.

So klang das bei Hotel Tokio. Und von Hawaii aus sang uns Israel Kamakawiwo´ole *Over the rainbow* als fernen Traum aus einer fernen, heilen Welt.

18

Ein paar Jahre später war die Hoffnung groß, es würden nun endlich einige alte Diktatoren fortgejagt. Das war auch teilweise gelungen, doch dafür setzten sich neue auf den alten Thron. Die Türme wankten, aber sie fielen nicht.

Zur selben Zeit ging ein Beben vom Meer ans Land und setzte die Welt in Brand. Ein Weltenbrand, der nicht gelöscht werden konnte. Dann, im Jahr 2012 hätte tatsächlich der Weltuntergang stattfinden sollen. Von den Mayas von langer Hand geplant. Auf jeden Fall stand die Uhr auf fünf vor zwölf. Heute fordert sogar der Generalsekretär der Vereinten Nationen die Weltbevölkerung zu internationaler Solidarität auf. Die haben wir leider vor dreißig Jahren entsorgt! Wer konnte damals ahnen, dass wir die irgendwann wieder brauchen würden? Und ist es immer noch fünf vor zwölf? Namhafte Wissenschaftler haben jetzt die „Doomsday Clock", also die Weltuntergangsuhr, schon auf 100 Sekunden vor zwölf gestellt! Das klingt bedrohlich! Es ist höchste Zeit.

Dennoch singt Tim Bendzko für uns seelenruhig:

„Muss nur noch kurz die Welt retten. Danach flieg' ich zu dir. Noch 148 Mails checken. Wer weiß, was mir dann noch passiert, denn es passiert so viel. Muss nur noch kurz die Welt retten. Und gleich danach…"

Und wann geht es mit Gesang in den Weltuntergang? Wird der Weltuntergang warten, bis wir bereit sind?

Knete statt Plastik! –

oder Plastikknete?

Heilkunst und FarbenPracht©

Norbert Wickbold
Denkzettel Nr. 62

Knete statt Plastik! –
oder Plastikknete?

Ich glaube, das war in den Siebzigern, als der Spruch: *Jute statt Plastik* aufkam. Damals bezeichnete man das als chaotische Spinnerei von linken Hippies und sonstigen schrägen Vögeln. Die waren so verrückt, dass sie sich vor lauter Naturverbundenheit Blumen ins Haar flochten. Jeder kultivierte Mensch zwängte sich in einen schwarzen oder grauen Anzug und band sich eine farbig gestreifte und manchmal sogar eine bunte Krawatte um den Hals. Die Hippies wiederum hielten so ein Ding für einen Kulturstrick. Die kultivierten Leute kauften gerne teure Sachen und trugen alles in möglichst edel aussehenden Plastiktüten nach Hause. Schließlich war es ihnen wichtig, dass sie sich von den einfachen Leuten deutlich unterschieden. Die wiederum konnte man in der Tat nicht nur an der Kleidung, sondern auch an den Plastiktüten erkennen, die sie trugen. Denn da stand für jeden sichtbar drauf, dass sie sich ihr Nötigstes in einem Billigdiscounter gekauft hatten.

Während Jute statt Plastik damals noch radikal war, so ist das heute auch bei den bürgerlichen Gutmenschen in Mode gekommen. Jetzt sind die sogar noch radikaler und sagen, sie wollen die Benutzung von Plastiktüten ganz verbieten oder wenigstens unter Strafe stellen. Jeder, der eine Plastiktüte erwerben will, muss gleich dafür bezahlen. Und zwar viel mehr, als die Tüte wert ist. Inzwischen heißt das neue Geschäftsmodell: Knete für Plastik. Allerdings sollen wir den ganzen Plastikschrott durchaus weiter konsumieren. Wurst, Käse, Obst und Gemüse, alles muss in Plastik verpackt werden. Am besten mehrfach! Ohne Plastik geht gar nichts mehr. Selbst den losen Tee kann man nicht mehr wie früher in Papierbeutelchen abfüllen. Nein, heute muss das einfach Plastik sein. Das sieht richtig edel aus. Plastik ist chic. Extra für die mit dem Kulturstrick. Schließlich können die sich das ja leisten! Und jeder einzelne Teebeutel bekommt ein eigenes Plastiktütchen. Das sei erforderlich wegen der Hygiene, heißt es. Wieso man das Ganze immer noch in Pappschachteln abpackt, weiß ich allerdings nicht. Auf jeden Fall muss da eine Plastikschutzfolie drum herum. Damit das Aroma erhalten bleibt. Ich frage mich nur, warum müssen CDs, Druckerpatronen und jeder unbedeutende Wegwerfartikel aus Plastik einzeln in Plastik verschweißt, anschließend in eine Plastikhülle gesteckt und die wiederum mit Plastik verblistert werden? Soll da auch das Aroma erhalten bleiben oder die Hygiene gewahrt? Und wehe, ich erweise mich als ein solcher Umweltsünder, dass ich wieder mal so gedankenlos und vergesslich bin, eine Tasche mit zu nehmen und dann beim Kauf dieser Waren hilflos dastehe und nach einer Plastiktüte verlange. Nein, das geht gar nicht! Dafür muss ich dann

Strafzoll bezahlen. Aber bitte bloß nicht in bar. Bitte mit Plastikgeld! Welcher Umwelt ist das denn zuliebe? Und wenn ich dann auch noch einen Kassenbon haben will, erweise ich mich erneut als echter Umweltsünder. Nun gut, wenn ich ehrlich bin, schmeiß ich den sowieso gleich weg. Und, ja ich weiß, das belastet die Umwelt ganz erheblich!

Seitdem es die Trennung von Plastikmüll und Restmüll gibt, wird immer deutlicher, wie viel Plastikabfall überall anfällt. Das ist mindestens doppelt so viel wie der Restmüll. Von Zeit zu Zeit schau ich mir den Gelben Sack an und denke: Was ich da so leichtfertig wegwerfe, sind alles Sachen, die ich gekauft und für die ich teuer bezahlt habe. Oftmals war das Produkt mit mehr Plastikabfall günstiger als die umweltfreundlicher verpackte Ware.

Was ich auch nicht verstehe ist, warum soll ich ein Profi sein, wenn ich eine spezielle Batterie benötige und dann eine verblisterte Packung mit 20 verschiedenen Sorten kaufe? Zumal ich davon die meisten irgendwann wegwerfen muss? Und zwar unbenutzt! Wie sollte der Profi ein derart unwirtschaftliches Vorgehen seinem Kunden erklären? Schließlich müsste der das dann auch noch bezahlen. Ich habe sogar mal eine in Plastikfolie eingeschweißte Tischdecke entdeckt, die als Profidecke bezeichnet wurde. Aber vielleicht steht Profi nicht für Profession, sondern für

Profit. Und den macht der Händler natürlich, wenn ich mehr kaufe, als ich brauche. Denn entweder ist beim Produkt das Haltbarkeitsdatum überschritten, wenn ich die anderen mitgekauften Sachen benutzen will oder ich habe das Profipack bis dahin derart verräumt, dass ich dann gleich den nächsten Zehnerpack kaufe. Später ärgere ich mich, weil die ganzen gehorteten Überfluss- und Wegwerfartikel in den blödesten Situationen wieder auftauchen.

Das mit den Profiartikeln geht mir nicht aus dem Sinn. Ich bin mal gespannt, ob es bald auch Klobürsten als Profimodelle gibt. Ja, genau das wäre es doch: das elektrisch betriebene Profiset, extra mit Adapter. Dadurch ist das Modell ruck zuck umsteckbar, passend für alle Länder anwendbar. Quasi als unverzichtbares Mitbringsel für die Reise ins Ausland. So bin ich dann gewappnet für alle Lebenslagen. Und dass diese Sonderausgabe natürlich in einer ganz edel aussehenden Verpackung verblistert werden muss, versteht sich von selbst. Passend dazu gibt es dann den Klopapierrollenhalter als Set, einen Halter in der Euronorm, einen in der US-Norm, einen in der Japan-Norm, einen für den Linksverkehr und natürlich einen ganz speziell für die Südhalbkugel. Da drehen sich die Klopapierrollen bekanntlich andersherum. Das Ganze gibt es dann im praktischen Klarsichtkoffer. Das gehört hoffentlich in die Kategorie: Erfindungen, die uns erspart geblieben sind. Ja, und wenn es das eines Tages doch gibt, ist das der Renner – und ich hab mir die Idee natürlich nicht patentieren lassen!

Das ist manchmal ganz schön verrückt. Ich kann mich noch an die ab Weihnachten 1979 ausgestrahlte Fernsehsendung *Timm Thaler* erinnern. Der Baron, der dem Jungen das Lachen abgekauft hatte, lacht nun darüber, dass die Menschen so dumm sind, ihm das in (Plastik?)Flaschen abgefüllte Wasser abzukaufen. Inzwischen ist das selbstverständlich und alltäglich. Heute wird weltweit soviel Wasser in Plastikflaschen und Kanister verkauft, dass Mensch und Natur in einer Flut von Plastikmüll versinken. Und so landet ein Großteil des Plastiks einfach im Meer. Aus den Augen, aus dem Sinn. Kein Problem. Das ist ja eine schnelle Lösung. Die Wissenschaft, die inzwischen darauf spezialisiert ist, nur noch ganz kleine Dinge zu untersuchen, hat mit Erstaunen und Entsetzen festgestellt, das überall in allen Weltmeeren winzigkleine Partikel aus Plastikflaschen und sonstigen Plastikteilen nachweisbar sind. Jetzt ist das Problem amtlich beglaubigt. Jetzt, wo der ganze Plastikmüll auf eine Größe kleiner als Sandkörner vom Wasser zermahlen wurde, will man das Plastik wieder zurückholen. Als man damit anfing, den Müll ins Meer zu werfen, galten diejenigen als verrückt, die an die Folgen dieses Handelns dachten und dessen Gefährlichkeit erkannten. Jetzt gelten diejenigen als genial, die die winzig kleinen Teilchen wieder aus dem Meer herausfischen wollen. Deshalb werden Unsummen in die Forschung gesteckt, um das irgendwie doch noch zu bewerkstelligen. Bis vor Kurzem glaubten einige Wissenschaftler, ihnen sei es tatsächlich gelungen, Bakterien zu züchten, die den Plastikmüll einfach auffressen. Doch dann kam die Enttäuschung: Die Bakterien haben darauf gar keinen Appetit! Jetzt müssen die Menschen den Schaden, den sie angerichtet haben, doch irgendwie selbst beheben. Wäre auch zu schön gewesen. Man kanns ja mal versuchen. Vielleicht müssen die Fachleute nur noch ein paar Milliarden in die Forschung stecken, und dann haben sie in wenigen Jahren den marktreifen Prototypen: Seidenspinnerraupen, die sich nicht von Blättern des Maulbeerbaumes, sondern von Plastikabfall ernähren! Und siehe da, die produzieren gleich – auf natürliche Weise – Kunstseide! Ja, das ist natürlich Zukunftsmusik. Ich frage mich nur, wie die Raupen an den Plastikabfall im Meer herankommen sollen. Na ja, das wäre dann der nächste große Forschungsauftrag. Auf jeden Fall wäre das dann das ganz große Geschäft! Hört ihr das heimliche Rufen? Und den Nobelpreis habt ihr dann auch schon so gut wie sicher in der Tasche. Aber kann man denn wirklich auf Plastik verzichten? Würde das denn nicht lauter Arbeitsplätze kosten? Und vor allem leidet darunter nicht die Wirtschaft? Na ja, wo gehobelt wird, da fallen Späne! Man muss eben in neue Technologien investieren. Erst hat man mit immer mehr Plastik immer mehr Knete gemacht und künftig kann man mit immer weniger Plastik noch mehr Knete machen. Dann ist ja alles in bester Ordnung. Und ganz nebenbei wird dann ein anderes Problem auch gleich behoben. Wenn die Meere aufgrund der Überfischung bald keine Meerestiere mehr hergeben, dann werden die Fischer nicht gleich arbeitslos. Die können dann nämlich mit den bis dahin entwickelten, neuartigen Netzen die Plastikmikroben aus dem Meer fischen. Die werden bis dahin zum begehrten Rohstoff. Da braucht man die kleinen Fische gar nicht mehr. Wer das Geschäft mit dem Plastikrecycling macht, der hat den ganz großen Fisch gefangen.

Jetzt wird deutlich, wie naiv das war: Jute statt Plastik. Ein Glück, dass wir darauf nicht gehört haben. Hätten wir nicht all die Jahre fleißig Plastik produziert, dann konsumiert und anschließend in den Müll oder gleich ins Meer geworfen, stünden wir jetzt vor einem riesigen Problem. Mit modernster Forschung, Technik und Ökonomie ist das kein Problem. Wenn wir die zu Erdöl gewordenen Pflanzenreste aus Dinosauriers Zeiten aus den Tiefen der Erde und des Meeres holen können, dann werden wir doch wohl auch das Plastik dem Meer wieder abtrotzen können!

Sind Alltagshelden Kamele, die durchs Nadelöhr gehen?

Heilkunst und FarbenPracht©

Norbert Wickbold
Denkzettel Nr. 63

Sind Alltagshelden Kamele, die durchs Nadelöhr gehen?

Dieser 63. Denkzettel ist ein denkwürdiger Denkzettel! Und zwar nicht, weil ich ihn in meinem 63. Lebensjahr schreibe, sondern weil ich in diesem Jahr tatsächlich zum Helden geworden bin. Ich hätte ja nie gedacht, dass ich es überhaupt mal zum Helden bringen würde. Aber nun ist es so. Sie müssen nämlich wissen, dass ich seit mehr als fünfundzwanzig Jahren als Altenpfleger meinen Dienst tue. Obwohl das bisher niemanden groß interessiert hat, zeichnet mich das nach den aktuellen Aussagen einflussreicher Persönlichkeiten nun eindeutig als Helden aus. Ein Bundesverdienstkreuz, eine Ehrenbürgerschaft oder eine Urkunde habe ich dafür nicht bekommen, aber darum geht es auch gar nicht. Und zum Ritter bin ich auch nicht geschlagen worden wie Captain Tom in England. Ich bin erst 63 und nicht schon 99. Das kann alles noch kommen. Heutzutage ist nichts unmöglich. Da bin ich ganz optimistisch. Auf jeden Fall habe ich von höchster Stelle einen sogenannten Pflegebonus bekommen. Ganz formlos. Einfach so. Als Einmalzahlung, aber immerhin etwas. Zwar bekommen andere, die sich durchaus nicht heldenhaft benehmen und sich auch nicht gerade mit Ruhm bekleckern, jeden Monat einen Bonus. Und der ist viel, viel höher als meiner. Das ist sicher. Aber die Leute sind jetzt nicht gemeint, wenn von Helden die Rede ist.

Du, die meinen uns, sagte ich zu meiner Kollegin. Ja, die haben die derzeitige Situation von offizieller Stelle aus als schwierig eingestuft. *„Wie im Theater."* Wieso? *„Damit wir nicht heimlich von der Bühne gehen, sondern noch eine Zugabe zum Besten geben, werden wir als Helden beklatscht."* Dass unser Berufsalltag ohnehin schon von außergewöhnlichen Belastungen geprägt ist, bleibt weiterhin unberücksichtigt. Ein Dokument unseres Arbeitgebers verleiht uns das Privileg, auch dann noch zur Arbeit kommen zu dürfen, wenn alle anderen zum Infektionsschutz und zur eigenen Sicherheit verpflichtet werden, zu Hause zu bleiben.

Schon als junger Mann hatte ich mich als Held versucht. Und zwar völlig unbeabsichtigt. Bald nachdem ich sie kennengelernt hatte, war meine damalige Freundin ohne festen Wohnsitz und ich nahm sie in meiner Wohnung auf. Leider wurde sie von ihrer Vergangenheit eingeholt und drohte unter den psychischen Folgen ihrer Kindheit zu zerbrechen. Sie war bald nicht mehr in der Lage, für den gemeinsamen Haushalt ihren Beitrag zu leisten. Schnell geriet auch ich an meine Grenzen. Fast alle meiner damaligen Freunde waren davon überzeugt, sie würde mir nur auf der Tasche liegen und mich schamlos ausnutzen. Ich fühlte mich großmütig und war bereit, selbst auf einiges zu verzichten, um ihr aus der Not zu helfen, die für mich so offensichtlich war. Meine Freunde

hielten mich für einen viel zu nachgiebigen Schwäch-
ling und ließen mich alleine im Regen stehen. Das
war aber auch Ausdruck des Zeitgeistes. Das Gute im
Menschen zu fördern galt nicht als Heldentat, sondern als Dummheit. Dass ich etwas für einen anderen
machen und dadurch selbst womöglich noch Nach-
teile in Kauf nehmen müsse, stieß auf Unverständnis.
Ich wurde als blöd oder verrückt angesehen. Auf keinen Fall als Held. Meine Freunde erzählten mir von
ihren Heldentaten, die darin bestanden, andere zu
benutzen, um selbst Vorteile daraus zu ziehen. Wahre
Helden waren Männer, die sich skrupellos einfach das
nahmen, was sie wollten. Ob Alexander der Große,
Karl der Große, Dschingis Khan, Cortez oder Francis
Drake, Napoleon oder Mao, sie alle wurden Helden
durch massenhaftes Morden und Plündern, durch
Unterdrückung und Ausbeutung.

Aber es gibt auch andere Helden. Dostojewskis ver-
hinderter Held Raskolnikow mordet, um seine Ideen
von Gerechtigkeit in die Welt bringen zu können.
Auch Schillers Karl Moor raubt und mordet, um es
den Armen zurückzugeben. So gibt es auch das Bild
des guten Helden. Sie alle kämpfen im Kino und im
Leben gegen das Böse und gegen Ungerechtigkeit.
Heute kämpfen die Helden mit Lichtschwertern
gegen das vermeintlich Böse. Nur wir PflegerInnen
kämpfen nicht gegen das Böse, sondern bemühen uns

darum, Gutes zu tun. Meine Heldentaten bestehen nicht darin, ein Burgfräulein aus den Fängen eines feuerspeienden Drachens zu befreien oder für den König Goldschätze fremder Länder zu plündern, sondern Frau oder Herrn Sowieso aus einer misslichen Lage zu befreien, die darin besteht, ohne Schuld bis an den Kragen im Morast der eigenen Ausscheidungen zu versinken. Wenn ich auch oft kaum weiß, wie ich in solch einem Fall Herr der Lage werden kann, ohne selbst darin zu versinken, gebe ich gleichzeitig der Chefin per Telefon wichtige Tipps zur Dokumentation längst vergangener Heldentaten, die andernfalls der gebührenden Beachtung entgingen.

Liebe Kollegin, bin ich ein Held, wenn ich zum x-ten mal an meinem freien Sonntag einspringe, weil wir so unterbesetzt sind, dass es sonst niemanden gibt? Helden erscheinen in allen Zeitungen und auf Talkshows. Schwester, bist du zur Talkshow geladen worden, um in der Öffentlichkeit über unsere Arbeit zu reden und zu diskutieren? *„Nein du? Ich kenne keine Kollegin, die je gefragt oder zurate gezogen wurde.“* Sie bezeichnen uns als Helden, glauben aber nicht, dass wir irgendetwas Nennenswertes zu sagen hätten. Nur Leitungs- und Führungspersönlichkeiten aus Politik und Wirtschaft sind wichtige Akteure. *„Und die brauchen uns Praktiker nur, um ihre großen Ideen umzusetzen.“* Weißt du, weshalb wir als Helden des Alltags bezeichnet werden? *„Vielleicht wurde ihnen klar, dass ohne uns gar nichts läuft."* Ja, weil wir nicht nur systemrelevant, sondern systemerhaltend sind. *„Wir halten das System am Leben."* Sie sind die Könige, denen der Ruhm sicher ist. Wir sind eben nur die namenlosen Sklaven, die die Pyramiden errichten. Und das ist ja nicht der Rede wert. *„Nennen sie uns Helden des Alltags, weil sie befürchten, wir könnten plötzlich nicht mehr fraglos alles machen, was sie von uns verlangen?"* Nein, von uns ist keine Störung ihres Systems zu befürchten. Selbst dann, wenn das ganze System massiv gestört ist, halten wir es aufrecht. *„Ja, wir halten ein System aufrecht, das für uns selbst am wenigsten übrig hat."* Ein System, dass weder von uns noch für uns gemacht ist. *„Was würde geschehen, wenn wir selbst erkennen würden, dass ohne uns gar nichts mehr läuft?"* Ja, was dann wohl passieren würde. Aber keine Angst, das passiert nicht. Wir sind genau deshalb Helden, weil wir niemals aufbegehren, egal, wie sehr wir auch beladen und mit Füssen getreten werden. *„Wir sind Helden, weil wir brav funktionieren und das Feuer am Brennen halten, egal wie schlecht die Bedingungen für uns sind."* Wir holen für jeden die Kohlen aus dem Feuer, egal, wie sehr wir uns dabei verbrennen. *„Nur nicht für uns selbst."* Während wir unsere kotverschmierten Handschuhe abstreiften, sah mich meine Kollegin an und sagte: *"Ja, so sehen Helden aus!"* Ich erzählte meiner Kollegin von einer Postkarte, auf der ein braves Kamel gemalt war. Das hatte um den Hals einen Bindfaden mit einer Schleife. Wie ein Pfahl war vor ihm eine überdimensionale Nadel in den Boden gesteckt. Das andere Ende des Fadens war durch das Nadelöhr gezogen. Und daneben stand in roten Lettern: *„Du schaffst das!"* Das ist, wie mir scheint, ein passendes Bild für unsere Situation in der beruflichen Pflege. Sind wir nicht die treuen Kamele, die jede noch so lange Durststrecke überbrücken und sich kritiklos jede weitere Last aufhalsen lassen? Ja, wir sind die Kamele, die durch jedes Nadelöhr gehen. Wir ermöglichen es den Reichen schon auf Erden wie im Himmelreich zu leben. Ob Bewohner, Angehöriger, Arzt oder Chef. Ein Zuruf des bekannten: *„Du schaffst das!"* und wir lassen uns bis zum Zusammenbrechen weiter beladen! Egal, wie es uns selbst geht, wir machen es. Wir schaffen das. Und zwar, nicht erst seit uns die Bundeskanzlerin das zurief. Wir schaffen das immer und immer wieder. Auf uns könnt ihr euch stets verlassen. Aber es braucht niemand zu rufen: *„Du schaffst das!"* Dieser Ruf ertönt in unserem Inneren wie ein Tinnitus und wir schlagen uns weiter durch.

Im Englischen gibt es hierzu ein Sprichwort, dass nicht treffender sein könnte: „the straw that broke the camel's back." Wortwörtlich bedeutet das:

»Der Strohhalm, der dem Kamel den Rücken bricht!«

Werde ich auch dann noch als Held bezeichnet, wenn ich unter der Last, die mir aufgebürdet wurde, zerbreche? Aber ich zerbreche nicht. Denn ich weiß, wir haben etwas, was ihr nicht habt. Wir haben uns! Helden stellen das Wohl der Gemeinschaft über das eigene. Wer nur auf den Vorteil einiger weniger baut, hat diese Kraft nicht. Sicher hatte deshalb Jesus gesagt: *„Eher geht ein Kamel durch ein Nadelöhr, als das ein Reicher ins Himmelreich gelangt."*

Wenn ich auch ein Kamel bin, so bin ich doch fähig, aus eigener Kraft mit Krisen fertig zu werden. Das Nadelöhr steht für die Krise, vor der jeder irgendwann im Leben steht. Auch ihr, die ihr uns jetzt als Helden beklatscht, müsst durchs Nadelöhr! Bisher haben wir euch die Mühe abgenommen, eure Last zu tragen und haben uns unermüdlich durchs Nadelöhr treiben lassen. Wie lange noch? Wann ist das Maß voll? Wann packt ihr uns den Strohhalm drauf, der dem ganzen Pflege-Kamel den Rücken bricht? Wann fällt für uns der Tropfen, der das Fass zum Überlaufen bringt? Fragt nicht, was das Besondere an diesem Tropfen sei. Ihr solltet beizeiten fragen, weshalb das Fass so volllaufen konnte. Denn dieser Tropfen wird den heißen Stein zum Überkochen bringen. Dann werdet ihr selbst die Kamele sein müssen, die sich durchs Nadelöhr quälen. Währenddessen wird unsere Karawane der Pflegealltagshelden still weitergezogen sein.

Wo kann man heu-
te noch die Weisheit
mit Löffeln fressen?

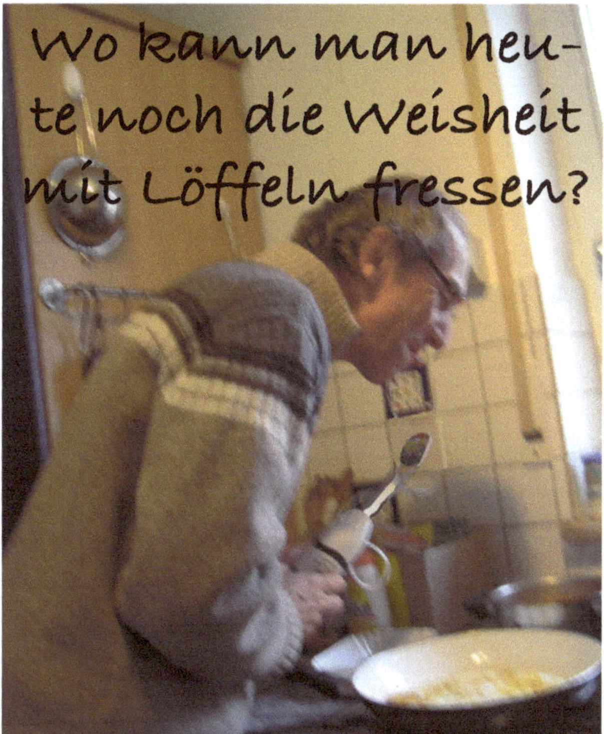

Heilkunst und FarbenPracht©

Norbert Wickbold
Denkzettel Nr. 64

Wo kann man heute noch die Weisheit mit Löffeln fressen?

Neulich hatte ich eine Idee. Und ich muss sagen, die war einfach genial! Deshalb gab ich ihr den Namen Nasen-Paradoxon. Archimedes hatte gesagt: Gebt mir einen festen Punkt, und ich werde die Welt aus den Angeln heben. Seit über zweitausend Jahren suchen Forscher überall auf der Welt vergeblich nach diesem festen Punkt. Vielleicht hatte ich einen gewissen Heimvorteil, denn in meiner Kindheit hing in unserem Wohnzimmer der Spruch: Warum denn in die Ferne schweifen, wenn das Gute liegt so nah! Aber auch ich habe viele Jahre gebraucht, bis ich da drauf kam. Es dauerte lange, bis die Idee in mir reifte. Ja, und mit dieser Idee habe ich diesen festen Punkt tatsächlich gefunden: meine Nase! Als mir die Genialität meiner Entdeckung klar wurde, habe ich mir gleich ein 3-D-Modell meiner Nase anfertigen lassen. Niemand kann leugnen, dass meine Nase ein fester Punkt ist. Sie nimmt in meinem Gesicht einen festen Platz ein. Und sie ist unverrückbar. Ich kann meine Nase weder versetzen noch sie in ihrer Form beeinflussen. Aus diesem Grunde muss es jedem sofort einleuchten, dass sie mein fester Punkt ist. Von diesem Punkt aus kann ich die Welt betrachten, sie beeinflussen oder sie auch, wenn es sein muss, aus den Angeln heben. Ich komme an dieser Nase einfach nicht vorbei. Somit gehe ich bei allem, was ich tue, immer der Nase lang. Inzwischen bin ich felsenfest davon überzeugt, dass ich mir mit dieser Idee eine goldene Nase verdienen werde. Aber zurück zu meinem Nasenmodell. Mit diesem Modell haben auch andere Menschen einen festen Punkt, an dem sie sich orientieren können. Wenn sich möglichst viele Menschen an meiner Nase bzw., an meinem Nasenmodell orientieren, spricht nichts mehr dagegen, diese Nase zur Grundlage für die wissenschaftliche Forschung zu erklären. Das kann durchaus verglichen werden mit dem Urmeter, dass in Paris aufbewahrt wird. Aber was kann man mit diesem Nasenmodell anfangen? Na, zum Beispiel kann anhand des Nasenmodells gemessen werden, ob ein Mensch gut oder schlecht ist. Jeder, dessen Nase meinem Nasenmodell entspricht oder höchstens um fünf Prozent davon abweicht, ist ein guter Mensch. Jeder, dessen eigene Nase um mehr als fünf Prozent davon abweicht, zeigt damit ganz eindeutig, dass es sich bei ihm um einen schlechten Menschen handelt. Somit lässt sich exakt wissenschaftlich beweisen, ob jemand nur glaubt, es mit einem guten bzw. schlechten Menschen zu tun zu haben, oder ob er sich auf eine wissenschaftlich fundierte Faktenlage beziehen kann. Mit einem Schlag wäre den Fake News ein Ende bereitet. Auch die Verschwörungstheorien ließen sich eindeutig erkennen und die Scharlatane wären ganz schnell entlarvt.

Die ganze Sache hat nur einen Nachteil. Und davon hängt alles ab. Damit die Angelegenheit funktioniert, muss ich mir meine Nase so schnell wie möglich patentieren lassen. Ich brauche ein Copyright bzw. ein eingetragenes Warenzeichen auf meine Nase. Denn nur, wenn meine Nase unverwechselbar bleibt, kann das Ganze funktionieren. Andernfalls ließen sich auch noch andere ihre Nase patentieren und wir hätten wieder keine Einheitlichkeit. Und von wissenschaftlicher Überprüfbarkeit könnte dann natürlich keine Rede mehr sein. Nur wenn meine Nase zum verbindlichen Alleinstellungsmerkmal erklärt werden würde, könnte ich meine Nase ungefragt überall reinstecken. Und meine Nase wäre im wahrsten Sinne des Wortes richtungsweisend für den weiteren Verlauf der Menschheitsgeschichte. Und das ist durchaus nicht übertrieben. Wenn jeder seine Nase in alles reinstecken will, kann da nichts Gutes bei rauskommen. Womöglich hätten wir dann eine amerikanische, eine europäische, eine russische, eine arabische, eine indische und eine chinesische Nase. Und alle würden behaupten, sie hätten das einzig richtige Modell und seien im Besitz der Wahrheit. Und dann hauen sie sich gegenseitig ihre Nasen ein. Dabei könnte mit meinem Nasenmodell endlich Frieden in der Welt einkehren. Wenn meine Nase erst einmal als wissenschaftliche Basis anerkannt worden ist, dann ist sie wirklich alternativlos!

Früher klagten einige meiner Freunde, ich sei so wenig redselig, dass sie mir jedes Wort aus der Nase ziehen müssten. Doch als ich nunmehr fasziniert von meiner kürzlich gemachten Idee glaubte, denen mindestens eine Nasenlänge voraus zu sein, und meinen Freunden ganz stolz davon berichtete, fiel ich sogleich auf die Nase. Alle fragten mich, ob ich die Weisheit mit Löffeln gefressen habe. Ich muss schon sagen, dass ich mit solch einer schroffen Reaktion nicht gerechnet hatte. Da war ich fest davon überzeugt, die Nase ganz weit vorn zu haben und dadurch die Menschheit einen Riesenschritt voranzubringen und dann passt denen meine Nase einfach nicht. Die sanftesten Kritiker bezeichneten mich schlichtweg als einen Naseweis. Andere drohten gar, mir eins auf die Nase zu geben. Und immer wieder der Hinweis auf die mit Löffeln gefressene Weisheit. Ich hatte eben den richtigen Riecher. Das glaubte ich zumindest. Und nun war ich mit meiner Weisheit am Ende? Keinesfalls! Wie war das mit der Weisheit, die man mit Löffeln fressen kann gemeint? Gab es das wirklich? Aber brauchte ich die denn überhaupt noch? Schließlich wollte ich schon bald meine Nase wieder in den Wind halten. Wahrscheinlich hatten die jahrelang nur in die Nase gebohrt und waren dabei beim besten Willen nicht auf Öl gestoßen. Und das, was sie dabei zutage förderten, war nun wirklich keine Weisheit.

Zunächst wollte ich mein Modell als Nase des gesunden Menschenverstandes präsentieren. Doch das geht mir nicht mehr aus dem Sinn: Weisheit, die man mit Löffeln fressen kann? Wollten die mich nur an der Nase herumführen oder wollten die mich da mit der Nase draufstoßen? Na klar, das wäre überhaupt die Marktlücke. Da könnte sich jeder seine Weisheit je nach Bedarf selbst dosieren. Aber das es genügend Menschen gäbe, die die Weisheit nicht nur essen, sondern regelrecht fressen würden, muss eher bezweifelt werden. Und ob das Angebot überhaupt angenommen würde, ist nicht sicher. Wenn man im Supermarkt lauter Dosen mit Weisheit in den Einkaufswagen packt, würden die anderen Kunden womöglich denken, der muss es ja nötig haben! Auf jeden Fall ließe sich die Weisheit so verteilen, dass alle was abbekommen. Das wäre mir wichtig. Die Weisheit muss für alle bezahlbar sein. Sie darf allerdings auch nicht verramscht werden. Ich meine, die wirkliche Weisheit muss man sich schon was kosten lassen. Früher gab es mal eine Werbung, die versprach Schönheit, die man essen kann. Wenn es das inzwischen gibt, muss das doch auch mit der Weisheit möglich sein. Süß muss die sein. Auf keinen Fall bittere Pillen. Vielleicht sollte man doch besser bei der klassischen Buchform bleiben. Es soll ja auch Leute geben, die ganze Bücher verschlingen. Wenn sich die Sache mit meiner

Nase erst durchgesetzt hat, dann werden darüber sicher auch eine Menge Bücher geschrieben. Auf jeden Fall muss ich die Weisheit mit dem Nasenmodell irgendwie kombinieren. Das wäre sicher ein wichtiger Kaufanreiz. Andererseits muss ich aufpassen, dass die Leute, wenn sie so günstig an Weisheit kommen können, nicht zu hochnäsig werden.

Das Nasen-Paradoxon heißt deshalb Nasen-Paradoxon, weil es, obwohl man mit der Nase nicht fressen und nicht löffeln kann, tatsächlich dazu befähigt, die Weisheit mit Löffeln zu fressen. Ich müsste nur genügend Leute davon überzeugen, dass es nur mithilfe meiner Nase oder meines Nasenmodells möglich ist, die Fähigkeit zu erlangen, die Weisheit mit Löffeln zu fressen. Ich muss die Leute da mit der Nase draufstoßen! Wenn man mit meiner genialen Nase messen kann, ob jemand ein guter Mensch ist oder eben nicht, dann dürfte es auch ein Leichtes sein, damit zu messen, wie viel Weisheit bei dieser Person zu finden ist. Und jetzt weiß ich auch, wie ich das bewerkstelligen kann. Es gibt doch dieses Gebäck, das als Löffelbiskuit bezeichnet wird. Manche Leute tunken das einfach in süße Soßen oder löffeln Eis oder Sahne damit. Ich muss diese Kekse einfach in der Form meiner Nase herausgeben. Ja, und die müsste ich dann ebenfalls patentieren lassen. Und dann würde es einfach heißen: Weisheit ist nur, wo meine Nase drinsteckt!

Auch wenn ich die Vorstellung unangenehm finde, dass mir bald alle an die Nase fassen, wollte ich einen Praxistest machen. Als ich einem wildfremden Menschen erklärte, er sei, weil seine Nase erheblich von meiner abwich, kein guter Mensch, da antwortete der mir prompt: Fass dir mal an die eigene Nase! Er schüttelte nur verständnislos den Kopf, wollte gerade weitergehen und mich einfach stehen lassen. Ich ließ aber nicht locker. Fasziniert von meinem Nasenprojekt empfahl ich ihm die Weisheit mit meiner Nase zu fressen. Ich fühlte mich einfach gut bei der Vorstellung, dass sich andere nach meiner Nase richten. Der Fremde zog ein grimmiges Gesicht. Ich weiß nicht, wo die anderen herkamen, die mich plötzlich umringten. Mit Kennerblick erkannte ich, dass all ihre Nasen mehr als fünf Prozent von meiner abwichen. Mir war zwar etwas mulmig dabei, aber ich zeigte ihnen selbstbewusst mein Nasenmodell, das ich mutig anpries. Die Leute lachten und machten demonstrativ Selfies von ihren Nasen. Ich wollte mir von denen nicht auf der Nase herumtanzen lassen. Als ich weiterredete, riefen sie mir gereizt zu: Halt deine Nase da gefälligst raus! Ich wollte mich gerade zurückziehen, doch dann hagelte es lauter Nasenstüber. Das war heftig. Auch das Nasenbluten. Meine Nase war noch ganz, aber das Nasenmodell war zerbrochen. Das löffel ich nicht aus, ich hab´ jetzt die Nase voll von der genialen Idee!

Wie alt wir auch sind, wir bleiben immer das Geburtstagskind.

Heilkunst und Farbenpracht©

Norbert Wickbold
Denkzettel Nr. 65

Wie alt wir auch sind, wir bleiben immer das Geburtstagskind.

So so, Du willst also heute Deinen Geburtstag feiern. Da muss ich Dir allerdings erst einmal einen ordentlichen Denkzettel verpassen! Ja, das muss sein! Du brauchst jedoch nicht zu erschrecken, denn der Denkzettel gilt ausschließlich Dir. Dir ganz persönlich. Ich denke nämlich oft an Dich. Ich habe an Deinen Geburtstag gedacht und mir wirklich Gedanken um Dich gemacht. Und weißt Du was, ich bin da nicht alleine. Wir alle, die wir jetzt bei Dir sind – und einige, die jetzt nicht hier sind, – haben an Dich und Deinen Geburtstag gedacht. So, und nun bekommst Du, wie versprochen Deinen Denkzettel:

Wie schön, dass Du geboren bist,
wir hätten Dich sonst sehr vermisst.

Überrascht es Dich, dass auch ein Geburtstagsgruß ein Denkzettel sein kann? Und anschließend gibt es reichlich Geschenke. Mit den Jahren werden die Geschenke weniger, denn jeder Geburtstag ist selbst schon ein Geschenk. Ist es nicht ein Wunder, dass Dir das ganze vergangene Jahr geschenkt wurde? Und so kannst Du vertrauensvoll Dein kommendes Lebensjahr beginnen. Das gilt jedes Jahr aufs Neue. Nicht nur, wenn Du einen runden Geburtstag hast oder auf die hundert zugehst. Es sind geschenkte Jahre, aus denen Du etwas machen kannst und sicher meist auch gemacht hast. Doch vielleicht solltest Du nicht so sehr die Zahl der Jahre feiern oder gar wehmütig ausrufen: Oh je, schon wieder ein Jahr älter! Wie wäre es, wenn Du jeden Geburtstag als das feierst, was er eigentlich ist: der Beginn oder Anfang von etwas Neuem. Wenn Herman Hesse sagt: *Und jedem Anfang wohnt ein Zauber inne,* dann gilt auch: *Und jedem Geburtstag wohnt ein Zauber inne.* Besitzt nicht jeder Geburtstag diese Zauberenergie? Findest Du es nicht faszinierend, dass jedes Jahr das Potenzial hat, etwas ganz Neues – und vielleicht auch etwas ganz Großes in Dein Leben zu bringen? Das gilt nicht nur fürs ganze Jahr, sondern für jeden einzelnen Tag. Und auch für jeden einzelnen Menschen, der Dir begegnet.

Zwar sind schon vor Dir Tausende dreißig, vierzig, fünfzig usw. geworden, aber jeder auf seine Weise. Kein Leben gleicht einem anderen. Wird mit einem runden Geburtstag wirklich alles anders? Du wirst älter? Am Geburtstag bist Du nicht alt, sonder neu. Am Geburtstag bist Du das glückliche Kind, eben das Geburtstagskind. Wie alt Du auch geworden bist, lass Deine Kinderaugen wieder funkeln. Wie alt wir auch sind, wir bleiben immer das Geburtstagskind. Lass ab von all den Sorgen und trüben Gedanken, die Dir den Alltag beschwerlich machen. Singen wir doch deshalb an diesem besonderen Tag für Dich:

Viel Glück und viel Segen auf all Deinen Wegen.
Gesundheit und Frohsinn sei auch mit dabei.
Und ich füge noch hinzu: Was immer Dir geschieht, bleibe frohgemut wie in den frühen Kindertagen. Dann kannst Du es wirklich wagen, auch wenn Du nicht weißt, was auf Deinem weiteren Weg liegt. Dann wird Dein Geburtstag und jedes neue Lebensjahr nicht nur die Wiederholung oder Erinnerung an Deinen ersten Geburtstag. Vielmehr könnte er ein wirklich neuer, erster Geburtstag sein. Der Tag, an dem Du bewusst ein neues Leben anfängst. Deshalb wäre es gut, anstatt einfach nur die Stunden und Tage, die Monate und Jahre aneinanderzureihen, für all das Empfangene zu danken und es zu würdigen. Schließlich ist, wie Saint Exupéry sagt, Deine gesamte Vergangenheit, die Geburt des heutigen Tages. Welch ein Geburtstag! Ich kann es nicht oft genug sagen. Und wenn es sein muss, singen wir es Dir nochmals im Chor:
Wie schön, dass du geboren bist,
wir hätten dich sonst sehr vermisst.
Nutze Deinen Geburtstag als eine willkommene Gelegenheit, Dich selbst zu feiern. Und erfreue Dich daran, Dich feiern zu lassen. Vielleicht hast Du ein geringes Selbstwertgefühl, möchtest Deinen Geburtstag am liebsten gar nicht feiern. Gerade dann feiere ihn mit uns. Du bist es uns wert. Und Du solltest es Dir selbst

auch wert sein. Vergiss nicht, dass Du ein wertvoller Mensch bist. Du bist wertvoll, einfach, weil Du bist, wie Du bist! Und ich sage Dir auch, warum. Entschuldige, wenn ich an Deinem Geburtstag von mir erzähle. Als ich in der Schule über die Zusammenhänge der Sexualität aufgeklärt wurde, sah ich einen Film, in dem eine Unmenge von Samenfäden, die wie Kaulquappen aussahen, auf die Eizelle zuschwammen, um sich mit ihr zu verbinden. In dem Film war das genau einer einzigen Samenzelle gelungen. Aber auch die Eizelle unterlag einem Auswahlverfahren. Es hätte also durchaus auch eine andere Eizelle von einer anderen Samenzelle befruchtet werden können. Das ist aber nicht passiert. Es sind genau diese beiden zusammen gekommen. Wenn das kein Zufall ist! Das war Deine biologische Entstehung. Auf der menschlich-persönlichen Ebene waren es zunächst Deine Eltern. Und wenn Du ihre Geschichte kennst, weißt Du, wie sie sich Kennen- und Lieben lernten. Auf jedem Fall waren einige Zufälle erforderlich, dass ein neuer Mensch entstand. Also in Deinem Fall Du. Und als Du geboren wurdest, waren Deine Eltern sicherlich erfreut, aber du hattest ihnen schon im Vorfeld soviel Stress gemacht, dass sie ganz vergaßen, Dir als Willkommenslied zu singen:

Wie schön, dass Du geboren bist,
wir hätten Dich sonst sehr vermisst.

Erinnerst Du Dich noch an Deinen 5. Geburtstag? Also, von meinem 5. Geburtstag habe noch zwei Fotos, die mein Vater an diesem Tag von mir gemacht hatte. Beide Fotos sind fast identisch. Da ist nur ein kleiner Unterschied, aber der ist entscheidend. Auf dem ersten Foto sieht man mich ganz adrett vor dem Gabentisch stehen. Eine kurze Hose mit Bügelfalte. Mir war jedoch nicht zum Lachen zu Mute. Ich war sichtlich enttäuscht und hatte ein trauriges Gesicht. Meine Eltern glaubten zu wissen, was ich brauchte und schenkten mir einen blau gestreiften Schlafanzug. Dabei hatte ich mir so sehr gewünscht, Legosteine zu bekommen. Auf dem zweiten Bild stehe ich genauso vor dem Gabentisch, aber da lache ich freudestrahlend in die Kamera. Ich habe diese beiden Bilder oft betrachtet und jedes Mal versucht, mich daran zu erinnern, was mich letztendlich so fröhlich gestimmt hatte. Ich weiß es einfach nicht mehr. Kaum zu glauben. Der Grund meiner damaligen Traurigkeit ist mir bis heute bewusst, der Anlass zur Freude aber nicht! So hat sich in meinem Seelenleben die traurige Grundstimmung festgesetzt, verbunden mit dem Glaubenssatz, der besagt, dass ich nie das bekomme, was ich mir wünsche. Hätte ich die zweite Version verinnerlicht, hätte ich wahrscheinlich weniger Schwierigkeiten gehabt, mich wirklich zu freuen. Vielleicht hätte sich in mir die Vorstellung gefestigt, dass eine

Angelegenheit, die anfangs nicht gut aussieht, sich am Ende doch zum Guten wenden kann. Und tatsächlich habe ich mich oft gefragt, warum es mir so schwerfällt, mich von Herzen zu freuen. Bis heute trage ich diese beiden Geburtstagskinder in meinem Herzen, den Traurigen und den Fröhlichen. Und noch viele andere, die ich hier jetzt gar nicht ansprechen kann.

Wie war das bei Dir? Hast du Deine Kindergeburtstage in guter, schöner Erinnerung? Oder gab es da mal etwas, was Dir die Laune vermiest hat? Sicher waren die meisten Geburtstage reich an fröhlichen Ereignissen. Auch heute noch kannst du Dich mit Freude daran erinnern. Das Leben hält so manche Überraschung für Dich bereit. Nicht nur am Geburtstag. Manchmal müssen ein paar Freunde nachhelfen, damit er auch wirklich eine freudige Überraschung wird.

Wahrscheinlich hast Du in Deinem ganzen Leben noch niemanden getroffen, der oder die noch keinen Geburtstag gehabt hat. Natürlich nicht. Ohne Geburtstag kommt niemand in bzw. auf diese Welt. Da wir nur Menschen treffen können, die schon geboren sind, hat jeder seinen ersten, also den entscheidenden Geburtstag schon hinter sich. Dennoch ist die Tatsache, überhaupt geboren zu sein, durchaus etwas Besonderes. Auch aus diesem Grund feiern wir Deinen Geburtstag. Für Dich als Geburtstagskind ist dein Geburtstag etwas Einmaliges und sehr Persönliches.

Ich habe tatsächlich einen einmaligen Menschen kennengelernt, der genau am gleichen Tag, im gleichen Monat und im gleichen Jahr wie ich Geburtstag hat. Aber darauf musste ich fast 60 Jahre warten.

Geburtstage sind wie Jahresringe. Ist der Ring dick, weist das auf ein erfolgreiches Jahr. Ist er dünn, dann war das Jahr mühselig. Doch das erkennst du erst nach vielen Jahren, denn die Jahresringe wachsen immer von innen nach außen. Vom Kern zur Schale bzw. Borke. So ist das mit allem Neuen. Es wächst im Verborgenen heran und wenn es eine reif ist, tritt es nach Außen in Erscheinung. Das ist dann die Geburt, also der Geburtstag dieser Neuigkeit. Das gilt für alles, was eine Lebensfähigkeit erlangt hat. So kann, was klein anfängt, mit den Jahren groß rauskommen. Sollte deine äußere Borke oder Schale mit den Jahren und den Stürmen des Lebens rau und hart geworden sein, dass sie Risse und Falten bekam, dann denke an all die vielen schönen Geburtstage und all die Jahresringe, die in Deinem Inneren entstanden sind. Zusammen ist das ein wirklich beachtlicher Stamm geworden. Mit jedem neuen Geburtstag wächst ein neuer, junger Jahresring in dir heran.

Hat auch das Leben Dir viel Leid und Müh' gebracht
und Dich dadurch im Außen rau und alt gemacht,
trägst Du die Sonne in Dein Herz hinein,
bleibst Du im Innern ein junges Geburtstagskindlein.

Bekommen Sie bei jeder Schnapszahl gleich einen

SCHWIPS?

Norbert Wickbold
Denkzettel Nr. 66

Bekommen Sie bei jeder Schnapszahl gleich einen Schwips?

Ich geb es ja zu, manchmal habe ich schon etwas seltsame Gedanken. Dann denke ich, ich hätte gerade eine ganz große Idee geboren. Eine, die das Zeug dazu hätte, die Welt zu verändern. Und dann kommen sofort wieder Zweifel in mir auf. Bald darauf denke ich, was hab ich da bloß wieder für eine Schnapsidee gehabt? Ausgerechnet ich, der kleine Mann, der nie besonders aufgefallen ist, soll plötzlich den ganz großen Wurf gelandet haben? Aber wenn ich keinen Schnaps trinke, wie kann ich dann eigentlich Schnapsideen haben? Das geht durchaus, denn Schnapsideen produziere ich zuhauf. Wahrscheinlich kann ich auch ohne Schnapszahl von einer Idee trunken werden. Und das ganz und gar ohne irgend eine Form von Alkohol. Ich möchte mal wissen, ob man für Schnapsideen und Schnapszahlen auch eine Brennlizenz braucht? Wie viele Schnapsideen kann die Welt wohl vertragen? Und wie viele vertrage ich selbst? Gibt es da eine Promillegrenze? Werde ich nach dem Genuss zu vieler Schnapsideen zur Schnapsleiche? Jetzt wirds lustig! Wenn ich tatsächlich zu viel Schnaps getrunken hätte, könnte ich vielleicht noch verstehen, dass ich nur noch Schnapszahlen sehe. Weil ich in solch einem Fall alles doppelt sehe. Das mit dem Doppeltsehen ist mir durchaus schon passiert. Allerdings nicht aufgrund des Alkoholgenusses. Ich vertrage nämlich keinen

Schnaps. Davon kriege ich Kopfschmerzen. Kopf-schmerzen bereiten mir auch andere Dinge. Sobald ich eine Ziffer doppelt oder mehrfach sehe, weiß ich, dass es sich entweder um eine Schnapszahl handelt oder dass mir schwindlig wird.

Mir wird besonders schnell bei der Zahl 88 schwind-lig. Bei solchen Kurven muss ich immer ans Busfah-ren denken. Und an den Warnhinweis: Festhalten. Besonders in Kurven! Bei der Achtundachtzig ist das kein Wunder, wenn es mich da ab und zu aus der Kurve haut. Es gibt nämlich Leute, die die Zahl als Abkürzung für H. H. sehen. Und die denken nicht etwa an die Hansestadt Hamburg, an Hermann Hesse oder Heinrich Heine, sondern sie meinen, sie müss-ten dem noch Heil wünschen, der soviel Unheil in die Welt gebracht hat. Obwohl ich damit nun wirklich nichts am Hut habe, komme ich mir vor, als würde ich den Vor- und den Hauptwaschgang auf einmal durchlaufen und gerate sogar noch in den Schleuder-gang. Und sofort wird mir wieder schwindlig. Beson-ders, weil mein bisher gelebtes Leben sowieso schon einer nicht enden wollenden Folge von Achterbahn-fahrten gleichkam. Ja, und dass ich mich in meinem Leben bisher trotzdem nie aus der Bahn werfen ließ, macht mich schon etwas stolz. Ich verkneife es mir darauf, mit Alkohol anzustoßen. Allzu leicht könnte sich das als eine Schnapsidee erweisen.

Manche Schnapszahlen treten auch paarweise auf.
Eben im Doppelpack. Wie zum Beispiel der 11. 11.
Bei diesem Datum muss ich immer an eine ältere
Dame denken, die am 11. 11. 1911 geboren wurde
und deshalb von ihren Eltern den Namen Elfriede
bekommen hatte. Sie ist, glaube ich, 99 Jahre alt geworden. Traditionell ist der 11. 11. Der Beginn der
Fastnacht, weil die Elf im Tarot die Zahl des Narren
ist. In früheren Zeiten war es gefährlich, dem Herr-
scher, ob Kaiser oder König zu widersprechen oder
überhaupt eine andere Meinung für möglich zu halten. Das durfte nur der Narr. Der hatte Narrenfrei-
heit. Das war früher. Heute werden die Herrschenden
nur noch in der Fastnachtszeit vorgeführt und zum
Narren gemacht. Ich finde, das ist schade. Nicht weil
die fünfte Jahreszeit nur so kurz ist, sondern, weil es
in der heutigen Politik keine Narren mehr gibt. Zumindest keine offiziellen Narren. Heute nehmen die
Leute alles immer so ernst. Oft richtig verbissen ernst.
Wie wäre es, wenn es neben dem Regierungssprecher
auch einen Regierungsnarr gäbe. Oder einen parla-
mentarischen Narr. Der müsste bei allen Debatten
immer das letzte Wort haben. Wahrscheinlich gibt es
den nur deshalb nicht, weil man bald gar nicht mehr
so genau wüsste, was die Regierung eigentlich will.
Man würde sich die Worte des Narren am ehesten zu
Herzen nehmen. Man würde das ernst nehmen, was

nur als Spaß gemeint war. Doch heute gilt für diesen Spaß: Am Aschermittwoch ist alles vorbei! Das war jetzt gerade ein Beispiel von meinen Schnapsideen.

Aber hier geht es ja eher um Schnapszahlen. Und es gibt durchaus Menschen, für die bei solchen Zahlen der Spaß erst richtig losgeht. Davon sind diese Leute überzeugt. Denn am 11. 11. 2011 hatten sich überproportional viele Paare das Jawort gegeben. Wie schon am 9. 9. 1999. Sie glaubten, die Zahlen würden ihnen Glück für ihre Ehe bringen. Und das wünsche ich ihnen natürlich. Wahrscheinlich erweisen sich aber auch ganz andere Hochzeitstermine als Glückszahlen. Denn sonst müssten sich die ganzen Hochzeitswilligen noch bis zum 22. 2. 2022 gedulden, bis sie sich ihr Jawort geben könnten. Wenn sie bis dahin immer noch heiraten wollen, wäre das sicher ein gutes Zeichen. Aber sind Ehen, die an solch einem Schnapszahldatum geschlossen wurden, vor einer spätern Scheidung sicher? Und wenn die vermeintlichen Glücksbringer die Erwartungen nicht erfüllen?

Manche Menschen lassen sich von bestimmten Zahlen ganz schön durcheinanderbringen. Das gilt nicht nur für das Spiel, dass man Leben nennt. Viele Spiele zielen darauf ab, möglichst viele gleiche Zahlenwerte zu haben. So hat das Ass den höchsten Wert, eben die Elf. Ja und wer noch ein Ass mehr auf der Hand hat, der hat die besseren Karten.

Übrigens ist das hier mein sechsundsechzigster Denkzettel. Ob das eine besondere Bedeutung hat? Auf jeden Fall träume ich nicht mehr, wie viele Menschen von den sechs Richtigen aus sieben mal sieben Zahlen im Lotto.

Und was die Zahl des Tieres: »666« betrifft, bleibe ich ganz gelassen. Auch wenn die Welt voller Teufel wäre, lass ich mich von niemanden auch nicht von einem siebenköpfigen Tier mit zehn Hörnern ins Bockshorn jagen. Ist es nicht interessant, wie viele Menschen heute gerne diese Zahl bemühen, in der Hoffnung, dadurch selbst an Macht und Einfluss zu gewinnen? Sollte mit dieser Zahl wirklich ein römischer Kaiser gemeint gewesen sein? Nur welcher Kaiser Roms hat über uns heute lebenden Menschen noch Macht? Wie groß seine Macht damals auch gewesen sein mag, sie ist seit Jahrhunderten erloschen. Oder treibt dieser alte römische Kaiser sein Unwesen, indem er als Geist in so manchen Köpfen herumspukt? Haben wir nicht ohnehin schon genug Unheil in der Welt, wofür wir selbst verantwortlich sind? Müssen wir dafür noch die Geister der Vergangenheit von den Toten auferwecken? Müssen wir heute die längst überwunden geglaubten Ängste unserer Vorvorfahren wieder aufwärmen, um uns in einen Zustand der schaurigen Extase zu versetzen? Auch Goethe wusste, dass da kein Segen drauf liegt:

»Berufe nicht die wohlbekannte Schaar,
die strömend sich im Dunstkreis überbreitet,
dem Menschen tausendfältige Gefahr
von allen Enden her bereitet!«

Macht kann diese Zahl nur über uns ausüben, wenn
wir uns von ihr oder von wem auch immer blenden,
täuschen und verführen lassen. Und genau dafür steht
diese Zahl. Sie ist der Stoff, aus dem das Schaudern ist.
Die Zahl 666 wird selbstverständlich in den schwär-
zesten Tönen gemalt, damit man sich an seiner Nega-
tivität so richtig berauschen kann. Sie ist ein Muss für
jeden Verschwörungstheoretiker. Gewissermaßen das
Sahnehäubchen.

Ganz anders sieht es mit der Zahl 77 aus. Seitdem
sie für die Lotterie als Spiel 77 nutzbar gemacht wurde, ist sie der Inbegriff des Glücks. Und das malt man
sich natürlich in ganz großen goldenen Lettern aus.
Die 33 kann einen schon zur Verzweiflung bringen.
Manche werden da ganz verrückt. Jedenfalls fing im
Jahr 1933 der größte Wahnsinn an. Andererseits ist
Jesus laut Überlieferung 33 Jahre alt geworden. Ge-
nauer gesagt 33 ⅓. In Dezimalzahlen: 33,33. Wenn
man 33,33 mit 3 malnimmt, bekommt man 99,99.
Da kann man noch so viele Stellen hinten dranhän-
gen, es werden nie ganze 100. Die Hundert erreicht
man so jedenfalls nicht. Vielleicht ist das ja auch das
Geheimnis von Nenas 99 Luftballons.

Bei Kaufleuten ist die 99 allerdings sehr beliebt. Dennoch muss sie bei ihnen immer hinten anstehen. Ich meine bei den Preisen. Die Waren kosten nicht einfach ein, zwanzig oder fünfhundert Euro. Nein, es müssen 19, 99€, 499€ oder einfach nur 99 Cent sein. Aber wem neunundneunzig Pfennig an der Mark, bzw. dem Euro fehlen, der hat auch nicht mehr alle Tassen im Schrank und auch nicht alle Lichter auf dem Christbaum und überhaupt hat der sie nicht alle. Da kann er sich auch nicht mit dem Spruch: Wer den Pfennig nicht ehrt, ist den Taler nicht wert, herausreden. Hängt die Qualität oder der Wert der Schnapsideen davon ab, ob der dafür zu konsumierende Schnaps schon für 9,99 € oder erst für 11,99€ zu haben ist?

Zusammenfassend stelle ich fest, dass sich Ursache und Wirkung zwischen Schwips und Schnapszahl kausal nicht eindeutig klären läßt. Dies gilt auch, obwohl immer wieder ein Zusammenhang zu besonderen Schnapszahlen als Begründung für den verstärkten Schnapsverzehr angeführt wird. Anders verhält es sich mit dem Alkoholkonsum, der nachweisbar häufig zu einem Schwips und leider oft zu weitreichenderen Konsequenzen führt. Für das Produzieren von Schnapsideen ist er nicht zwingend erforderlich. Ich glaube, die Schnapszahlen berauschen sich an sich selbst, weil es ihnen gefällt, dass sie uns so leicht in Verzückung oder aus der Fassung bringen können.

Zeigen Sie sich doch mal von ihrer Schoko-ladenseite!

Heilkunst und FarbenPracht©

Norbert Wickbold
Denkzettel Nr. 67

Zeigen Sie sich doch mal von Ihrer Schokoladenseite!

Manchmal frage ich mich, wie eigentlich dieser süße Genuss die Schokolade in die Welt gekommen ist. Weder in der Schöpfungsgeschichte noch im alten oder im Neuen Testament ist irgendetwas von Kakao oder Schokolade zu lesen. Wenn Gott den Wackelpudding gemacht hat, der ja deshalb auch Götterspeise heißt, muss er doch erst recht den ersten Schokopudding erschaffen haben. Die Schokolade zum Trinken und zum Essen natürlich auch. Und alles, was dazu gehört. Doch die Bibel verliert darüber kein einziges Sterbenswörtchen. Wenn man sich durch einen Berg von Schokopudding essen muss, um ins Schlaraffenland zu gelangen, dann wird es doch wenigstens im Paradies Schokolade gegeben haben. Heißt es doch immer: die zarteste Versuchung seit Adam und Eva. Vielleicht war der Baum der Verführung gar kein Apfelbaum, sondern ein Kakaobaum. Vielleicht hatte der zwischen dem Baum der Erkenntnis und dem Baum des Lebens gestanden. Ich habe da so eine Ahnung, dass es sich dabei um den Baum des Genusses gehandelt haben könnte. Für mein Leben möcht ich gerne wissen, warum dieser Baum in meiner Vorstellung zum Baum des Genusses geworden ist. Nach meiner Erkenntnis liegt zwischen Denken und Leben, zwischen Erkennen und Erleben natürlich noch ganz viel Gefühl. Und mit ihm auch der Geschmack.

Ein Geschmack, der zwischen Bitter und Süß alles umfasst. Das ist die Kakaofrucht. Und die Schlange hatte den ahnungslosen ersten Menschen geflüstert, wie sie daraus herrlich-köstliche Schokolade bereiten können. Gleich machten sie sich an die Arbeit und als Gott rief: Adam, wo bist du?, hatten die beiden gerade von diesem göttlich-teuflischen Getränk gekostet. Eva hatte zuerst gesagt: Mein Lebtag hab ich so etwas Tolles nicht getrunken. Gleich darauf reichte sie Adam das Gefäß, damit auch er davon koste. Das war gar nicht so einfach, denn damals gab es ja weder Tassen noch Becher. Und Gläser ebenso wenig. Die mussten alle erst noch erfunden werden. So hatten sie sich mit einer ausgehöhlten Frucht beholfen. Das sie dabei ausgerechnet eine von den verbotenen Früchten erwischen mussten, war zwar dumm, aber nun nicht mehr zu ändern. So erwies sich dieser Genuss gleichzeitig als sehr erkenntnisreich. Das teuflisch gute Getränk war ein echter Liebestrank. Adam und Eva erkannten einander und vor allem fühlten sie, warum Gott sie als Mann und Frau geschaffen hatte. Dafür waren sie dem Herrn dankbar. Der Teufel hatte sich mit dieser Gabe von seiner Schokoladenseite gezeigt, während sie vom lieben Gott bald darauf auch die Kehrseite kennenlernen sollten. In seiner Naivität wollte Adam dem Herrn auch von dem neu entdeckten Getränk anbieten, doch zu seiner Überraschung verstand der gar keinen Spaß und warf sie kurzerhand aus dem Paradies. Sie wollten sich aber auf jeden Fall diese Früchte sichern. Da sie jedoch unbekleidet waren, hatten sie keinerlei Taschen, in die sie die wertvollen Kakaobohnen hätten hineintun können. Gott gab ihnen als einzige Mitgift aus dem Paradies Felle, mit denen sie ihre Blöße bedecken sollten. Das war ein Glück, denn so konnten sie wenigstens ein paar Kakaobohnen aus dem Paradies schmuggeln. Nun hatten sie das Fell gegen die Kälte und den Kakao zum Aufwärmen. Zwar hatte Gott ihnen das Leben geschenkt, doch dafür bedachte er sie in der Folgezeit mit Schuften, Schwitzen und Schmerzen. Hätten sie nicht auch den Genuss kennengelernt, wären sie sicher längst umgekommen. Aus dem Paradies nahmen sie die göttliche Erkenntnis und den teuflisch guten Geschmack mit. Beides trugen sie in die Welt. Hätten sie sich nicht ab und zu, wie ihnen im Paradies die Schlange gezeigt hatte, auch mal der Schokoladenseite des Lebens zugewandt, damit sie das Leben genießen, wüsste man nicht, was aus ihnen geworden wäre. Nicht mit Gewalt, sondern mit Geschmack überlebt man. Aber was wurde eigentlich aus dem Kakao und der Schokolade? Man weiß es nicht. Wie gesagt, in der Bibel wird die Schokolade nicht erwähnt. Die Menschen wurden unter paradiesischen Bedingungen von Gott geschaffen, und sie selbst schufen sich un-

ter harten Bedingungen ein genussvolles Leben. Mit
Genüssen aller Art. Da durfte die Schokolade nicht
fehlen. Und dann waren da noch die Menschen von
Sodom und Gomorra. Die waren des harten Lebens,
das Gott ihnen auferlegt hatte, überdrüssig geworden
und hatten sich immer mehr dem Genuss zugewandt.
Wein, Weib und – Schokolade. Ja auch Schokolade
kann süchtig machen. Gott wollte sich das Treiben
nicht weiter mit ansehen. Für die Menschen war das
Leben jenseits von Eden oft bitter, manchmal auch
süß – und das wurde ihnen nun versalzen.
Bis sich Gott den Menschen wieder von seiner Schokoladenseite zeigte, mussten die Menschen noch viel
Leid über sich ergehen lassen. Moses wollte die Israeliten in das Land führen, wo Milch und Honig fließen. Aber das Volk träumte vom Land, in dem Wein
und Schokolade fließen. Sollte die Schokolade im alten Ägypten unbekannt sein? Wenn es damals sogar
eine Bernsteinstraße an die Ostsee gab, kann es nicht
auch sein, dass die Ägypter Handel über den Großen
Teich betrieben? Vielleicht war das Goldene Kalb
in Wirklichkeit nicht aus purem Gold, sondern aus
reiner Schokolade. Diebesgut aus dem Ägypterland.
Zumindest könnte es sich dabei um eine prähistori-
sche Urform des Schokohasen gehandelt haben. Damals mussten sie viele hungrige Mäuler stopfen und
so formten sie eben ein Kalb. Vielleicht war Moses

nur deshalb so erzürnt, weil sich seine Leute so offenkundig nicht an das Gebot: Du sollst nicht stehlen, gehalten hatten. Aber mal ehrlich, wer könnte heute dieser Versuchung widerstehen?

Und beim Manna, dass die hungrigen Israeliten in der Wüste aus ihrer Not rettete, handelte es sich nicht um solche trockenen Oblaten, wie es sie heute in der Kirche gibt, sondern um pure Schokolade! Denn Moses hatte seit der Geschichte mit dem Schokokalb gewusst, dass es besser ist, den Genuss zu rationieren. Ja, so wird es gewesen sein. Aber schon damals galt: Der Kenner genießt und schweigt.

Es kann aber auch vermutet werden, dass die letzten paradiesischen Kakaobohnen schon von der Sintflut weggespült worden waren. Die müssten dann allerdings übers Meer bis nach Amerika gelangt sein. Erst durch Kolumbus kam dieses letzte Stück vom Paradies wieder zurück in die Alte Welt. Oder geschah das doch schon durch die alten Ägypter? Kam durch die Ägypter der Kakao nach Südamerika oder kam er von dort drüben zurück? Man weiß es nicht. Auch wenn es heute tatsächlich weiße Schokolade gibt, so liegt noch vieles in ihrem dunklen Wesen verborgen. Sollte es sich wirklich in der Weise zugetragen haben, wie hier geschildert, dann hätte das auch für mich persönliche Konsequenzen. Im Denkzettel Nr. 45 hatte ich behauptet, dass Gott die Arbeit erfunden habe. Das müsste ich nun revidieren. Vielmehr legt die hier unterbreitete Geschichte die Vermutung nahe, dass da ganz deutlich der Teufel seine Finger mit im Spiel hatte. Die Aussicht auf den großen Genuss kann schon im Voraus die Arbeit versüßen. Andererseits ist die Fähigkeit des vorausschauenden Denkens und Handelns eindeutig eine Frucht vom Baum der Erkenntnis. Das wäre wiederum ein klarer Beweis dafür, dass nicht Gott die Menschen mit der Arbeit bestrafen wollte, sondern der Teufel uns zur Arbeit verführt hat, damit wir durch den Genuss – der Schokolade – belohnt werden. Und dass Genuss jeder Art abhängig machen kann, wird wohl jeder schon erfahren haben. Das würde bestätigen, was ich schon in Denkzettel Nr. 32 vermutet hatte. Wenn wir Kinder uns ungeschickt benahmen, sagten unsere Schöpfer, sprich Eltern: Ihr benehmt euch wie die ersten Menschen. Weil sich schon Adam und Eva wie die ersten Menschen benahmen und zunächst noch zu gar keiner Folgenabschätzung fähig waren, musste Gott der zweiten Generation den gesunden Menschenverstand irgendwie noch mitgeben. Vielleicht war das, was bis heute als Kainsmal bekannt ist, einfach nur die Operationsnarbe. Seither haben die Menschen die göttliche Fähigkeit, sich entweder für den Genuss oder für deren Enthaltung zu entscheiden. Der gesunde Menschenverstand kann demnach als die göttliche Schokolade bezeichnet werden. Genau wie die Schokolade lässt sich auch der gesunde Menschenverstand immer weiter verbessern und verfeinern. Das Potenzial ist da! Gott wird auch in Zukunft noch viel an uns arbeiten müssen. Wahrscheinlich hatte Gott den Kakao schokoladenfarbig gemacht, weil dies die Farbe der Menschen war. Wenn das zutrifft, würde daraus noch etwas ganz anderes folgen. Hat Gott die Menschen nicht als Abbild seiner selbst geschaffen? Müssen wir uns Gott dann nicht auch als kakaobraun vorstellen? Dann muss ich wohl die Behauptung zurücknehmen, dass Gott sich nicht von seiner Schokoladenseite gezeigt habe. Gott schon, aber einige Menschen hatten da ihre Schwierigkeiten. Für die eine Sorte musste erst noch die weiße Schokolade erfunden werden, damit die das auch endlich hinbekamen.

Ist sie nicht süß? Nein, ich meine jetzt nicht die Zuckerpuppe aus der Bauchtanzgruppe, die Bill Remsey damals besang, nachdem er vom Schokoladeneisverkäufer von dem anderen Stern kam. Ich meine die Schokolade. Mir macht es gar nichts aus, mich von allen Schokoladenseiten zu zeigen. In Hüften und Schenkeln stecken viele Tafeln Schokolade. Auch die Kehrseite steckt voll davon. Welch ein Genuss. Von wegen quadratisch, praktisch gut. Jetzt muss ich wohl der Schokolade mal einen Riegel vorschieben. Und nun zeigen Sie sich von Ihrer Schokoladenseite!

Sprechen Sie Gähnisch ?

Heilkunst und FarbenPracht©

Norbert Wickbold
Denkzettel Nr. 68

Sprechen Sie Gähnisch?

Wie viele Menschen machen den Mund auf, obwohl sie nichts zu sagen haben. Und wie viele Menschen, die durchaus etwas zu sagen hätten, machen ihren Mund nicht auf. Oder nur selten. Und dann gibt es die vielen Menschen, die ihren Mund ganz weit aufreißen. Aber nicht zum Reden, sondern lediglich zum Gähnen. Wenn das gerade geschieht, während sie reden, dann tun sie einfach so, als würden sie weiterreden. Doch die ganze Energie wird für den Gähnvorgang benötigt. Für das fast krampfartige Aufreißen des Mundes. So klingt das, was dann noch aus dem Mund hervorgepresst wird, eher wie ausgeleiert. Es erinnert mich an das lustige Lied, das wir in der Schule so gerne sangen. Drei Chinesen mit dem Kontrabass saßen auf der Straße und erzählten sich was. Dabei wurde jede Strophe auf einem anderen Selbstlaut oder Umlaut gesungen. Dree Chenesen met dem Kentrebees sessen ef der Stresse end erzeelten seech wees.

Und dann gibt es Leute, bei denen poltern die Worte einfach so aus dem Mund. Die können gar nichts dafür. Das kann man auch bezeichnen als eine Art verbaler Inkontinenz. Da wir jedoch im Allgemeinen kaum Möglichkeiten, haben unsere Ohren zu verschließen, können die verbalen Entleerungen sehr nervig für die anderen sein. Doch manchmal bringt es einen ungewollten Zuhörer auch zum Schmunzeln. Wie in der nun folgenden Geschichte.

Während einer langen Zugfahrt hat man immer wieder andere Mitfahrer. Einmal saß ich im Abteil am Fenster. Auf dem mir gegenüberliegenden Fensterplatz setzte sich ein wohlgenährter Mann und packte sogleich sein Vesper aus. Noch bevor er seine Mahlzeit zubereitete, setzte er sich einen Kopfhörer auf und schaltete seine Wunschmusik ein. Die anderen Fahrgäste bekamen von seiner Musik nichts mit. Andererseits hörte er nichts von dem, was um ihn herum akustisch vorging. In aller Seelenruhe schnitt er sich mit seinem Taschenmesser zuerst von dem Brot eine Scheibe ab und anschließend einige Stücke von der mitgebrachten Wurst. Das Ganze aß er geräuschvoll und mit großem Genuss. Noch während er sichtlich zufrieden seine Stulle mampfte, fuhr der Zug in einen Bahnhof ein. Der Mann stand auf, öffnete das Fenster und sah dem Treiben am Bahnsteig zu. Dann fiel sein Blick auf eine offenbar übergewichtige Dame, die er staunend beobachtete. Unvermittelt rief der Mann, der aufgrund seines Kopfhörers seine eigene Stimme nicht hörte:

Mann ist die dick!

Wahrscheinlich hätte ich seine Worte nicht so deutlich verstanden, wenn er noch auf seinem Brot herumgekaut hätte. Gleich darauf stopfte er den Rest der Stulle in den Mund und während er weiter darauf herumkaute, behielt er ununterbrochen die anvisierte Frau im Auge.

Über dem Fenster stand die Aufforderung:
Nicht aus dem Fenster lehnen!
Unwillkürlich musste ich an den Spruch aus der Lehrzeit denken:
Vor Betätigung des Mundwerks
bitte das Gehirn einschalten!
Da ich selbst noch eine lange Reise vor mir hatte und mein Lesestoff mich nur ermüdete, fing ich an, darüber nachzudenken, wie viele Aufgaben der Mund zu erfüllen hat. Das war mir bis dahin gar nicht bewusst gewesen. So hatte die Zugfahrt sogar noch zu einem Erkenntnisgewinn geführt. Der Mund lässt sich hauptsächlich für zwei sehr unterschiedliche Tätigkeiten nutzen. Für die entwicklungsgeschichtlich ältere Aufgabe ist der Mund zum perfekten Kauwerkzeug ausgebildet. Deshalb ist für viele das Mundwerk in erster Linie ein reines Mahl- und Kauwerkzeug. Ihren Aufstieg verdankt die Menschheit der immer weiter perfektionierten Verwendung des Mundwerks als Sprachwerkzeug. Es gibt Leute, bei denen das Mundwerk zum wichtigsten körpereigenen Werkzeug geworden ist, sodass man sie selbst als Mundwerker bezeichnen kann (siehe Denkzettel 31). Während bis heute normale Menschen entweder kauen oder sprechen, beherrschen Mundwerker exzellent das Multitasking. *Mit vollem Mund spricht man nicht,* ist ein Erziehungsideal, das gewöhnliche Menschen völlig verinnerlicht haben.

Nicht so die Mundwerker. Das ausgiebige Sprechen bei gleichzeitigem Kauen, also das bewusste und genussvolle Übertreten dieser strengen Regel versetzt die Mundwerker in geradezu kauotische Zustände. Gemessen an dem hohen Schwierigkeitsgrad, den diese Parallelaktion erfordert, ist die Würdigung durch gewöhnliche Menschen eher gering. Mangels Erfahrung sind sie ungeübt darin, sich in die Feinheiten des Kauotischen einzuhören. Zur größten Meisterschaft haben es die Mundwerker in der folgenden Disziplin gebracht. Wenn andere beim Reden auf einmal den Mund weit aufreißen, offenbahren sie den Mitmenschen nur eine im Allgemeinen lautlose, gähnende Leere. Dahingegen ist für den geübten Mundwerker auch ein plötzlicher Gähnanfall kein Problem, denn auch das Gähnische beherrschen sie im Schlaf. Selbst durch einen lang anhaltenden Gähnvorgang müssen sie ihr Sprechen nicht abrupt unterbrechen, sondern können gelassen und souverän auf gähnisch weiterreden. Leider kommt es dabei trotzdem oftmals zu erheblichen Verständnisproblemen, da die Zuhörer in den meisten Fällen nur über rudimentäre Gähnischkenntnisse verfügen. Trotz reichlicher Gähnanfälle werde ich während der Reise nicht müde, weiter über das Thema nachzudenken.

Es kommt immer wieder vor, dass das Gähnische mit dem Dänischen verwechselt oder sogar gleichgesetzt wird. Gähnisch ist jedoch eher als eine Art Dialekt der jeweiligen Landessprache zu verstehen. Somit gibt es auch im Dänischen ein Gähnisch, dass sich allerdings erheblich von unserem Gähnisch unterscheidet. Nur in einem ist der Vergleich durchaus berechtigt. Man sagt, die Dänen seien die glücklichsten Menschen der Welt. Für die Menschen, die Gähnisch beherrschen, trifft das genau so zu. Ich bin fest davon überzeugt:

»Die Gähnen sind die glücklichsten Menschen der Welt!«
Damit sind wir bei einer weiteren wichtigen Aufgabe des Mundes angekommen. Das Lachen. Niemand kann glücklich sein, der nicht lachen kann. Und niemand kann lachen, ohne dabei den Mund zu verziehen. Es sei denn, er würde sich das Lachen verkneifen. Um herzhaft zu Lachen muss der Mund weit aufgerissen werden.

Wer die Kunst des Weitersprechens während des Gähnvorgangs beherrscht, für den ist das Sprechen während des Lachens kein Problem. Allerdings braucht man fürs Sprechen und auch fürs Lachen einen langen Atem. Beides geht nicht, wenn einem dabei die Luft wegbleibt. Deshalb bekommen manche Leute während des Lachens einen roten Kopf. Auch beim Sprechen kann man einen hochroten Kopf bekommen, aber meist nur, wenn man sich ärgert oder sich für etwas schämt. Und dann ist einem sicher nicht zum Lachen zumute. Ob es sich bei den Zeitgenossen, die diese

Kunst beherrschen, immer um echte Mundwerker handelt und ob diese wirklich glücklich sind, lässt sich im Einzelfall nicht sicher beurteilen. Auf jeden Fall sind sie fröhlich. Sie sind so fröhlich, weil es ihnen gelingt, lauthals zu lachen und gleichzeitig ihren zumeist lustigen Gedanken lautstark verbal zu kommunizieren. Ich selbst bin mit der dazu gehörigen Wortschöpfung nicht glücklich, dennoch habe ich mich für sie entschieden. Gleichzeitiges sprechen und lachen muss als Lachitisch bezeichnet werden. Das Wort hat zugegebenermaßen etwas Widersprüchliches. Denn es suggeriert, dass es sich um den Name einer Krankheit handelt, obwohl Lachen doch bekanntermaßen gesund ist. Der Name Lachitisch verweist jedoch auch darauf, dass es sich hierbei um eine sehr alte Sprache handelt, die sich entweder aus dem Kauotogähnischen herausgebildet hat oder sogar deren Urform darstellt. Möglicherweise gehen sie aber alle auf altbabylonische Zeiten zurück. Schließlich konnte bis heute nicht sicher nachgewiesen werden, was der babylonischen Sprachverwirrung zugrunde lag. Denn es muss davon ausgegangen werden, dass dort die Wurzeln für die ersten Weltsprachen zu suchen sind. Haben die vielen am Turmbau zu Babel beschäftigten, undiszipliniert wie sie waren alle gleichzeitig gebabbelt, gekaut, gegähnt und gelacht, so legten sie damit nicht nur den Grundstein für den höchsten Turm der damaligen Zeit, sondern auch für das Kauotische, das Gähnische sowie das Lachitische. Ohne diese elementaren menschlichen Regungen wäre möglicherweise nie solch eine Sprachenvielfalt entstanden, wie wir sie heute vorliegen haben.

Doch zurück in unsere Zeit. Bis heute ist die Pflege, Ausübung und Weiterentwicklung der drei Ursprachen auf den unermüdlichen Einsatz selbstberufener angewiesen. Dabei kommt dem Gähnischen eine Schlüsselrolle zu. Durch die zunehmende Übermüdung der Teilnehmer kam diese Sprache überproportional zum Einsatz und konnte so ihren Stellenwert in der Bevölkerung deutlich ausbauen. Inzwischen hat das Kauotische stark aufgeholt, denn man sieht immer mehr Menschen durch die Straßen huschen, die in der einen Hand ein belegtes Brötchen haben, von dem sie im Gehen kräftig abbeißen und in der anderen Hand halten sie ihr Smartphone, um gleichzeitig wichtige Telefonate zu führen. Es sind zumeist ehrenamtlich tätige Mundwerker. Viele der begnadeten Mundwerker haben schon vor vielen Jahren ihr Jodeldiplom gemacht und sich danach autodidaktisch weitergebildet. Spielend würden sie auch ein Diplom in Kauotisch, Gähnisch und Lachitisch ablegen können. Wenn es das denn gäbe! Bis heute ist es nirgends möglich, diese wichtigen Sprachen zu studieren. Helft ihnen endlich zum Durchbruch: Babbelt, kaut, gähnt und lacht und zwar alles gleichzeitig. Gemeinsam gähnend verändern wir die Welt!

Nur die Dummheit

kennt keine
Alternative –
oder doch?

Heilkunst und FarbenPracht©

Norbert Wickbold
Denkzettel Nr. 69

Nur die Dummheit kennt keine Alternative – oder doch?

Eigentlich wollte ich gar nicht darüber reden. Es ist einfach eine zu dumme Angelegenheit. Aber die lässt mir keine Alternative. Im Allgemeinen wird davon ausgegangen, dass es sich bei der Dummheit um einen Mangel an Intelligenz handelt. Das mag in vielen Fällen tatsächlich stimmen. Dennoch fallen immer wieder Personen auf, die es durch ihre Dummheit oder trotz ihrer Dummheit durchaus weit gebracht haben. Manche Menschen behaupten, dass die Welt vom Geld regiert wird. Ich habe eher den Eindruck, sie wird von der Dummheit regiert. Immer wieder gelingt es, vermeintlich dummen Menschen bis in die höchsten Führungsspitzen vorzudringen. Dort beschenken sie die Welt mit Erfindungen, zu denen nur sie allein fähig sind. Hier sei zunächst die unlängst gemachte Erfindung der alternativen Fakten genannt. Wer die wahren Hintergründe und komplexen Zusammenhänge nicht versteht oder verstehen will, der schafft sich mithilfe der alternativen Fakten seine eigene Wirklichkeit, in der er sich selbst bestens auskennt. Aus einer gewissen Machtposition heraus lassen sich die größten Dummheiten quasi legalisieren. Des Weiteren gibt es Menschen, deren Dummheit als eine besondere Gabe zu bezeichnen ist, verleiht sie den Betreffenden doch die Fähigkeit, geradezu blindlings und zielsicher in jedes Fettnäpfchen zu tappen.

In der Tat gibt es niemanden, der von sich behaupten würde, über besonders wenig Intelligenz zu verfügen, also besonders dumm zu sein. Dennoch muss zurzeit der allgemeine Mangel an Intelligenz so groß sein, dass Politiker und Wissenschaftler uns dazu drängen, die Entwicklung künstlicher Intelligenz voranzutreiben. Ich frage mich allen Ernstes, brauchen wir wirklich künstliche Intelligenz? Kann die das gegenwärtige Ausmaß an Dummheit überhaupt wettmachen? Was ist, wenn die Menschen zu dumm sind, die künstliche Intelligenz richtig, sprich intelligent einzusetzen?

Kommt dabei nicht wieder nur dummes Zeug heraus? Ich kann mich wohl künstlich aufregen, zur Not auch auf künstlichem Schnee ausrutschen, mich mit künstlichem Licht beleuchten lassen, aber ich kann nicht künstlich intelligent werden. Nicht alle Menschen können sich, was ihre geistigen Fähigkeiten betrifft, als Schlauberger ausweisen. Aus unerklärlichen Gründen nimmt die Zahl der Ureinwohner aus Dummsdorf dramatisch zu. Schon in der Vergangenheit gab es viele Versuche, dem Mangel an Intelligenz zu begegnen. Bis heute ließ sich nicht eindeutig klären, ob die Erfindung des Nürnberger Trichters als Ausdruck besonderer Intelligenz oder als Höchstmaß an Dummheit einzustufen war. Auf jeden Fall war es nicht gelungen, der Menschheit auf diesem künstlichen Wege zu mehr Intelligenz zu verhelfen.

Inzwischen ist vieles möglich, was noch vor wenigen Jahren als undenkbar galt. Wie viele Menschen fürchten sich davor, eines Tages mithilfe von künstlicher Ernährung künstlich am Leben gehalten zu werden? Andersherum sind viele davon überzeugt, dass wir so schnell wie möglich Roboter brauchen, die unser Leben durch künstliche Arme, künstliche Intelligenz und künstliche Gefühle erleichtern und verbessern würden. Zu dumm – ich nicht!

Seit Jahren beteuern renommierte Wissenschaftler, dass wir alle immer älter werden. Und je älter wir werden, umso sicherer, sagen sie, bekommen wir Alzheimer. Das ist doch gut, finden Sie nicht? Sie meinen, wir Menschen hätten somit generell keine rosige Zukunft vor uns? Das ist wohl der Grund, weshalb übermäßig viele Menschen eher pessimistisch in die Zukunft blicken. Zumindest was ihr eigenes Alter angeht. Ja, und jetzt sagen uns die Forscher, wir sollten uns ein besonders optimistisches Bild von der Zukunft machen. Gemeint ist jedoch nicht unsere Zukunft. Gemeint ist die Zukunft der künstlichen Intelligenz. Nachdem sie vor Jahren von uns erwarteten, dass wir denken sollten, dass mehr Reichtum für die Reichen automatisch zu mehr Wohlstand für die arbeitende Bevölkerung führen würde. Nun sollen wir denken, wenn es mit der künstlichen Intelligenz aufwärtsginge, dann würde es auch für uns aufwärtsgehen. Ich finde, das leuchtet sofort ein, denn wenn die Menschen sowieso immer vergesslicher werden, weil sie ja alle Alzheimer bekommen und die menschliche Intelligenz somit rapide abnimmt, ist es doch gut, wenn die künstliche Intelligenz mehr und mehr zunimmt. Denn wenn wir langsam alle zu dumm werden, ordentlich zu denken, muss irgendjemand anders das Denken weiterführen. Roboter bekommen schließlich kein Alzheimer. Wenn die Menschen im Alter nicht mehr wissen, wie sie heißen und wo sie ihr vieles Geld versteckt haben, dann übernimmt einfach die künstliche Intelligenz ihr Denken. Und das Geld bringt die dann auch gleich in Sicherheit. Auch so, also ohne Alzheimer ist es vielen Menschen einfach zu anstrengend, wenn sie ständig an so vieles Denken müssen. Da wäre es doch praktisch, wenn ihnen das Denken schon frühzeitig abgenommen würde.

Wenn auch das Hirn längst K. O.
und gegen Null geht der IQ,
ist das durchaus ganz ok,
denn das macht jetzt die KI.

Früher hieß es oft, man solle das Denken lieber den Pferden überlassen, weil die schließlich einen viel größeren Kopf hätten. Davon ist man heute ganz abgekommen. Wann immer sich jemand von Schlaubergern mit dummsdorfer Wurzeln besonders dumm angestellt hat und nicht weiß, wie er das Problem in den Griff bekommen kann, vertraut er ganz auf eine technische Lösung. Die Technik wirds schon richten. Man macht einfach mal kurz Wisch – und weg ist das Problem! Unglaublich. Also, je eher die Menschen ihren Geist aufgeben, nein, ich meine, je eher sie aufhören, ihren Verstand selbst zu benutzen, desto eher schlägt die große Stunde der künstlichen Intelligenz. Und die Politiker träumen von einer positiven Zukunft – für die künstliche Intelligenz! Wir sollen am besten glauben, dass unsere Zukunft dann automatisch auch positiv wird. Wollen wir so dumm sein und ihnen den Gefallen wirklich tun?

Denn immer wenn sie glaubten, sie hätten die besiegt, die ihnen mit ihrem Denken im Wege standen, dann setzen sich doch wieder die Selbstdenker durch. Wie machen die das nur? Da gibt es Autoren, die sind einfach unerbittlich. Sie geben sich die größte Mühe, ihre Mitmenschen zum eigenständigen Denken zu animieren. Sie halten Vorträge und schreiben sogar eine »*Bedienungsanleitung für ein menschliches Gehirn.*«[1] Bloß was sollen diejenigen damit anfangen, die nur über ein hirnorganisches Notstandsgebiet verfügen? Das Nichts, also der leere Raum, kann sich unmöglich selbst erkennen. Diesem Personenkreis fehlt dazu das geistige Potenzial. Derart arme Tropfe sind nicht in der Lage zu verstehen, wie durch materielle

---

1 Gerald Hüther,

Verdünnung das geistige Potenzial gesteigert werden kann. Nein, die Leere kann man nicht verdünnen. Doof bleibt doof. Da helfen keine Pillen. Gegen Globoli sind sie immun und selbst Unkrautvernichtungsmittel können bei ihnen nichts anrichten. Wie heißt es im Volksmund? Gegen Dummheit helfen keine Pillen und gegen Dummheit ist kein Kraut gewachsen. Deshalb haben die Dummen so große Angst vor den Naturheilkundigen. Nicht auszudenken, wenn die eines Tages ein Mittel gegen Dummheit finden! Sie wissen: Von nichts kommt nichts. Ich bin nur immer wieder erstaunt, dass diese Zeitgenossen ihre Leere derart zur Schau stellen müssen.

Da diskutieren sie schon seit vielen Jahren über ein Kopftuchverbot. Ich finde, es sollte ernsthaft über ein Kopfbenutzungsverbot nachgedacht werden. Ein Kopfbenutzungsverbot würde all diejenigen betreffen, deren Kopfbenutzung zu keinem wissenschaftlich nachweisbaren Erfolg geführt hat. Das wäre durchaus im öffentlichen Interesse. Denn gerade Personen des öffentlichen Lebens fallen oftmals gerade dadurch auf, dass sie uns ihre weder menschlich noch wissenschaftlich haltbaren Kopfgeburten um die Ohren knallen. Oder sollte es ein Abtreibungsgebot für die Kopfgeburten derartiger Knallköpfe geben? Ich sage ja, und zwar ohne Wenn und Aber! Da bin ich ausnahmsweise mal ihrer Meinung: Das ist alternativlos!

Bevor die Dummheit dreist die Weltmacht an sich riss, gab es die fast in Vergessenheit geratene Meinungsvielfalt. Eine auf Meinungsvielfalt gebaute Gesellschaft verlangt von ihren Mitgliedern ein Höchstmaß an geistiger Variabilität. Sie müssen die Fähigkeit besitzen, neben der eigenen Sicht- und Denkweise noch eine Vielzahl von Alternativen zu sehen. Gerade im Umgang mit der Alternative scheiden sich seit dem Putsch der Dummdreisten die Geister. Entweder ICH oder Nicht-Ich, sprich nichtig! Fake News soweit das Auge reicht! Die andere Seite sieht die Welt allseits bedroht durch das flutartige Auftreten von Verschwörungstheorien. Jeder selbstständig und anders denkende wird als Verschwörungstheoretiker verfolgt. Jetzt denke ich, vielleicht ist in Wirklichkeit die Zahl der Verschwörungstheoretiker kleiner als die der Verschwörungspraktiker. Und ich behaupte, das ist mit an Sicherheit grenzender Wahrscheinlichkeit keine Verschwörungstheorie! Während versucht wird, den Verschwörungstheoretikern das Handwerk zu legen, geben wir den Verschwörungspraktikern freie Hand.

Dies ist ein Aufruf an alle des eigenständigen und unabhängigen Denkens Fähigen zur Verschwörung gegen die Dummheit. Überlasst nicht weiter den Dummen die Welt. Übernehmt wieder selbst das Denken! Wer Hirn hat, der hirne, sprich: denke. Durch selbstdenken wird die Welt befreit. Das wird ein denkwürdiger Tag!

Darf man nicht mal mehr
ganz normal verrückt
werden?

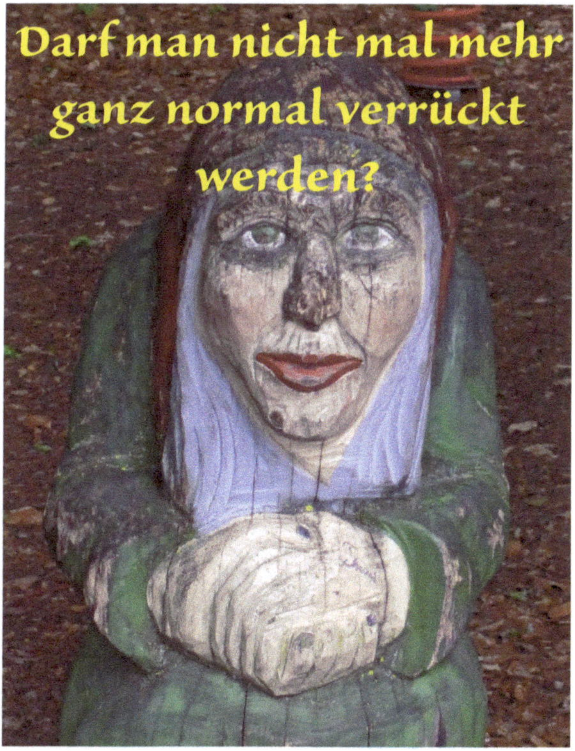

Norbert Wickbold
Denkzettel Nr. 70

Darf man nicht mal mehr ganz normal verrückt werden?

Wenn heute jemand eine Frage hat, dann geht er ins Internet. Im Internet, in Zeitung, Funk und Fernsehen bekomme ich unentwegt Antworten geliefert. Ich werde mit Antworten zugetextet. Antworten auf Fragen, die ich nicht oder zumindest nicht so gestellt habe. Jedoch auf die Fragen, die mich wirklich interessieren, weil sie mich direkt betreffen, bekomme ich nur unzureichende bis gar keine Antworten. Denn für meine dringendsten Fragen interessieren sich keine Medien, keine Politik und keine Wirtschaft. Das Bestreben dieses Triumvirats scheint nur darin zu bestehen, ihre eigenen Anliegen unters Volk zu bringen. Auch wenn es in einer beliebten Kindersendung immer hieß, wer nicht fragt, bleibt dumm, so scheint das jetzt, nachdem die einstigen Kinder erwachsen sind, nicht mehr zu gelten. Ich soll keine Fragen stellen. Vor allem keine dummen Fragen. Also solche, mit denen ich Aussagen und Handeln des glorreichen Triumvirats hinterfragen oder gar bezweifeln könnte. Konzerne und Behörden bieten jetzt auf ihren Internetseiten die Möglichkeit an, Fragen zu stellen. Ich darf aber nicht einfach so losschreiben, sondern kann zu einer Auswahl der wichtigsten Fragen die richtigen Antworten abrufen. Wenn ich trotzdem versuche, meine eigenen Fragen zu stellen, bekomme ich als Antwort: Leider kein Treffer! Konten wir Ihnen weiterhelfen?

Wenn nicht, dann fragen Sie Ihren Administrator. Am besten wird es wohl sein, ich begnüge mich mit einer der vorgegebenen Auswahlfragen. Das ist auch eine Art, sich das Fragen abzugewöhnen. Manche dieser Seiten sind so verschaltet, dass sie mich direkt auf die Frage lenken, die ich eigentlich gemeint haben müsste. Nach deren Meinung. Und die müssen das ja wissen. Ich frage mich, ob das der Sinn ist, nur noch diese Fragen zu stellen? Na ja, ich weiß, dass ich in manch einer Angelegenheit nicht ganz normal bin, aber verrückt bin ich noch lange nicht! Obwohl mich diese verflixten Weiterleitungen im Internet manchmal richtig krank machen. Dann lese ich wieder, dass diejenigen Unternehmer, die uns ganz krank machen, dass durchaus nicht mit böser Absicht tun. Schließlich wollen die alles unternehmen, um uns vollkommen gesund zu machen. Und das sieht doch jeder sofort ein, dass wir dazu erst einmal richtig krank sein müssen. Also, ich habe keine Angst, dass ich jetzt auch noch verrückt werden muss. Und wenn, dann ist das auch nur halb so schlimm. Schließlich haben meine Retter an alles gedacht. Ich brauche wirklich keine Fragen zu stellen. Für alles ist die passende Antwort schon da. Und sollte ich wirklich verrückt werden, dann sind auch schon alle Medikamente parat, die ich dann brauche. Nun ja, die müsste ich in dem Fall natürlich bis an mein Lebensende nehmen.

Aber was tut man nicht alles für die Gesundheit! Jetzt frage ich mich bloß, wer davon tatsächlich gesundet. Dazu heißt es: Fragen Sie Ihren Arzt oder Apotheker. Aber solche Fragen stelle ich lieber nicht mehr. Früher habe ich mir dazu schon meine Gedanken gemacht. Da hörte ich zum Beispiel den Liedermacher Heinz Rudolf Kunze singen:

Sie verkaufen jetzt Dosen mit Tomatensaft,
wo der Schimmel gleich mit drin ist.
Ein Schluck und dir ist schlecht,
und du greifst zum Magenbitter,
anzunehmen, dass das der Sinn ist.
Denn die Magenbitterfirma
ist ein Tochterunternehmen
der Tomatenmutterdose.
Dieses Marketing zu schlucken,
dazu musst du dich bequemen,
sonst geht alles in die Hose.
Geht das nicht alles nochnbißchen schneller?

Dann sehe ich mir an, was um mich herum und in der Welt passiert und gestehe mir immer öfters ein: Ich versteh die Welt nicht mehr! Nein, wirklich. Aber ist das alles überhaupt noch zu verstehen? Da kann man doch verrückt werden! Dann denk ich mir, lass dich bloß nicht verrückt machen. Das ist doch nur der ganz normale Wahnsinn. Das ist ja das Verrückte. Und da soll man nicht durchdrehen? Nein? Nicht wenigsten ein bisschen? Dann denk ich über so vieles nach und bewege in mir Fragen über Fragen. Und finde keine befriedigende Antwort. Die Fragen ziehen mich in einen Strudel. Wenn ich erst in diesen Strudel geraten bin, ist die Frage, welche Richtung das Ganze nehmen wird, sinnlos. Ich kann sie derzeit und möglicherweise überhaupt nicht beantworten. Ich nicht und auch niemand anders. Kann es für irrationale Ereignisse eine einzige rationale Erklärung geben? Eine Erklärung, die absolut richtig ist? Oder muss ich einfach alles, was sich rational nicht erklären lässt, verdrängen, verleugnen oder auf andere Weise ausmerzen?

Früher glaubte ich von mir, ich sei ganz schön verrückt. Ich sagte mir, ich werd doch schließlich so verrückt werden dürfen wie jeder andere normale Mensch auch. Ich bin dann aber doch ganz normal geworden. Inzwischen wünschte ich mir, dass ich wirklich viel verrückter geworden wäre. Aber jetzt bin ich zu alt dafür. Früher durfte man ab siebzig durchaus verrückt werden. Da war das ganz normal. Heute kann man sich das nicht mehr erlauben. Wer heute im Alter verrückt wird, ist wirklich nicht mehr normal. Wer im Alter nicht mehr jede Verrücktheit mitmachen will, die als normal gilt, ist schon verrückt. Und doch muss ich irgendwie einen besonderen Hang zum Verrückten haben. Ich merke mir zum

Beispiel teilweise über Jahrzehnte hinweg Witze, die wirklich nur dämlich sind. Wie etwa diesen hier: Ein Mann kommt in eine Kneipe und bestellt zehn Gläser Schnaps, die er gleich darauf austrinkt. Anschließend ordert er neun Schnäpse. Auch die kippt er sich hinter die Binde. Nachdem er die danach bestellten acht Gläser geleert hat, verlangt er nach sieben Schnäpsen. Doch die will ihm der Wirt nicht mehr servieren und sagt: Sie sind doch schon betrunken! Darauf antwortet der Gast schwankend und mit einer reichlich lallenden Stimme: Ja, ist ihnen das auch schon aufgefallen? Je weniger ich trinke, je betrunkener werde ich!

Ein Mensch, der sich so verhält wie dieser Gast, muss zu Recht als verrückt bezeichnet werden. Jetzt frage ich mich nur, wie verhält es sich eigentlich in den folgenden beiden Angelegenheiten. Dass zu viel Alkohol für die Gesundheit nicht gut ist, weiß jeder. Auch die Schädlichkeit des Rauchens ist allgemein bekannt. Ebenso weiß man, wie ungesund ein übermäßiger Verzehr von stark gezuckerten oder fettreichen Lebensmitteln für den Betreffenden ist. Und die Liste kann noch um einiges erweitert werden. Obwohl dies jedem bekannt ist, klagen viele Menschen im Alter, dass sie genau die vorhersehbaren Krankheiten bekommen, und das, obwohl sie ihrem Körper inzwischen kaum noch etwas Derartiges antun. Sie verzichten auf alles und müssen trotzdem im Alter so sehr leiden. Nein, das kann weder am Rauchen noch am falschen Essen usw. liegen. Auch sagen sie: Ich bin so alt geworden und bisher haben mir das Rauchen, das fettes Essen usw. noch nie irgendetwas ausgemacht! Das habe ich immer vertragen. Ich hab einen robusten Körper! Das können Sie mir glauben! Nein, das ist kein Witz. Das meinen diese Menschen wirklich ernst und sind fest davon überzeugt. Und sie sind durchaus nicht allein. Sie gelten als völlig normal und niemand erklärt sie für verrückt.

Und dann gibt es Verantwortliche, die sich seit Jahren und Jahrzehnten all den großen Problemen gegenüber verschließen. Sie leugnen einfach deren Existenz. Auf unbequeme Fragen geben sie einfach keine Antworten. Probleme, die sich nicht von selbst irgendwie regeln, beheben sie durch Schönreden. Anstatt die großen Fragen der Menschheit, der Zeit oder des Großteils der Bevölkerung durch sinnvolle Maßnahmen zu beantworten, erfinden sie ein neues, ganz und gar unbedeutend kleines Problem. Frei nach Goethe:

Sie können im Großen nichts verrichten
und fangen es nun im Kleinen an!«

Nein, die großen Fragen können sie nicht beantworten. Dafür erklären sie die kleinste Angelegenheit zum größten Problem. Das Ganze bauschen sie zum Menschheitsproblem auf und treiben den größtmöglichen Aufwand, der zu einer grandiosen Lösung führe. Sie scheuen keine Kosten und Mühen. Denn die bürden sie allesamt uns auf. Während sie selbst in geschützten Villen oder Palästen sitzen, loben sie die armen Tröpfe, die sie im Regen stehen lassen, und bezeichnen diese als Helden des Alltags. Sich selbst lassen sie als geniale Staatslenker feiern, die die Bürger durch weise Beschlüsse vor der größten Katastrophe bewahrt haben. Wer ist denn wirklich verrückt? Und warum hinterfragt ihr das nicht? Oder habt ihr euch das Fragen längst abgewöhnt? Wer nicht fragt, bleibt dumm. Wer dumme Fragen stellt, wird oft auch nicht schlauer. Auf schlaue Fragen gibt es zuhauf dumme Antworten. Und flugs werde ich restlos aufgeklärt: Wusstest du, dass die Pandora mit Vornamen Corona hieß, und schon bald nachdem sie ihre berüchtigte Dose geöffnet hatte, ganz übel erkrankte? Und zwar an der berüchtigten Coronapandoramie. Und wir haben heute das Mittel dagen!

Wie schön für euch. Wer will das denn wissen? Ich doch nicht. Auch nicht, wenn sie ihre Weisheiten ständig wiederholen. Oh, die machen mich noch ganz Coronapandämlich! Darf ich nicht mal mehr ganz normal verrückt werden? Schluss jetzt!

Coronapandämlch? Dagegen haben wir ein Mittel.

Nein, ich will nicht!

Ich bin schon verrückt – noch Fragen?

Keine.

Die Bücher von Norbert Wickbold

finden Sie auf den folgenden Seiten

Geschichten aus dem Paradies
Jubiläumsausgabe!

Tb: € 12,80 (D)

geb: € 19,80 (D)

e-Book: € 2,99 (D)

ISBN:
978-3-7323-2611-2 (Tb.)
978-3-7323-2612-9 (geb.)
978-3-7323-2613-6 (e-book)

Zum Anliegen der Denkzettel

Hier werden Lebensthemen oder politische Themen in oftmals ungewöhnliche Denk- und Sichtweise humorvoll oder eher besinnlich erörtert. Jeder Band umfasst zehn Texte, die nicht allzu ernst genommen werden sollen, denn ich möchte dazu beitragen, allzu engstirnige Denkweisen aufzulockern. Vielleicht kommen Sie bei deren Lektüre ins Schmunzeln und es fällt Ihnen anschließend leichter, Altbekanntes neu zu betrachten und es auf bisher ungeahnte Weise zu bedenken.

Tb Nr. 1 – 5: € 9,50 (D) und ab Nr. 6: € 10,80 (D)

Der Roman, der zur Quelle führt:

Die Wiederkehr der Morgenlandfahrer

Die Idee der Morgenlandfahrer Hermann Hesses wird hier wieder aufgegriffen und mit hochaktuellen Themen verknüpft: Auf der einen Seite steht eine gigantische, den Globus beherrschende Wirtschaftsmacht, und ihr gegenüber befindet sich die entmachtete Gruppe der vielen. Ein paar wenige wagen es, um ihr Grundrecht auf sauberes Wasser zu kämpfen und bringen das Machtgefüge der Weltmacht an seine Grenzen.

Die Wiederkehr der Morgenlandfahrer

gibt Hoffnung auf die Kraft von Einzelnen, die ihre innere Quelle gefunden haben. Hier geht es darum, seinem Stern zu folgen und daraus Kraft für die Bewältigung auch sehr schwieriger Aufgaben zu ziehen. Die Reise der Morgenlandfahrer ist eine Reise durch die innere Wüste seiner eigenen Seele. Es ist eine Reise zur inneren Quelle. Sieben Künste weisen den Weg dorthin. Jeder findet seinen eigenen Weg. Der Leser bekommt einen spannenden Roman vorgelegt, der Hoffnung machen will, dass auch eine globale Bedrohung überwindbar ist. Er findet sich ohne Weiteres in einer der Hauptfiguren wieder und erhält somit schnell einen eigenen Bezug zu Thema und Inhalt des Romans. Und er kann sich auf seinen persönlichen Weg zur eigenen Quelle begeben!

336 Seiten € **18,50** (D) Tb

ISBN:
978-3-8495-9890-7 (Tb.)
978-3-8495-9891-4 (geb.)
978-3-8495-9892-1 (e-book)

Die Gedichte und Gedanken:
Was seht ihr denn?
42 Gedichte und Gedanken

Wie viele Gedanken gehen uns durch den Kopf und ziehen sehr schnell wieder weiter? Einige hinterlassen bleibende Spuren, andere geraten bald wieder in Vergessenheit. Neue Ereignisse und neue Gedanken verdrängen unsere Gedanken von gestern.

Einmal innezuhalten! Dies alles von ferne nur zu betrachten. Es aufzuschreiben, um die Gespenster, die in unseren Hirnen spuken, zu vertreiben.

Hier sind sie versammelt:
42 Gedichte und Gedanken aus drei ereignisreichen Jahrzehnten, die tatsächlich in Worte festgehalten und niedergeschrieben wurden. Sie sind manchmal sehr persönlich oder poetisch, mal politisch und manchmal eher philosophisch.

Format: 120 x 190 mm,
60 Seiten

Tb: € 7,50 (D)

geb: € 13,50 (D)

e-Book: € 2,99 (D)

ISBN:
978-3-7323-1126-2 (Tb.)
978-3-7323-1127-9 (geb.)
978-3-7323-1128-6 (e-book)

Der Ratgeber zum Älterwerden:

Wer weiß, wie wir mal werden?
Selbstentwicklung kreativ fürs Alter nutzen

Im Alter würdevoll Leben, möglichst ohne Leiden zu müssen, dass wünschen sich viele Menschen. Ist das möglich? Nach 22 Jahren Arbeit in der Altenpflege, behaupte ich: Ja! Es ist möglich, wenn wir bereit sind, unser Leid anzunehmen. Dann können wir es wandeln. Mithilfe unserer Lebenserfahrung, der Kunst und verschiedener therapeutischer Ansätze können wir einen inneren Wandel vollziehen und den Abbau- und Sterbeprozess kreativ wandeln in einen Aufbau- und Integrationsprozess.

Das Buch vereint viele Beispiele aus Praxis, Kunst, Dichtung und Forschung und zeigt sieben Wege zum kreativen Altwerden auf.

384 Seiten, mit vielen, teils farbigen Abbildungen

Tb: € 24,49 (D)

geb: € 30,80 (D)

eBook: € 2,99 (D)

ISBN:
978-3-8495-9811-2 (Tb.)
978-3-8495-9812-9 (geb.)
978-3-8495-9813-6 (e-Book)

Die Seminarbücher:

Sieben Wege zum kreativen Älterwerden

Hier werden sieben Wege aufgezeigt, die dich befähigen,
auch im Alter eine Persönlichkeit zu sein, die souverän
und weise ihr Leben führt.

Das Lebensschiff
bis ins hohe Alter
souverän steuern

Die Bilder der Seele
sprechen lassen

Die Biografie als
Gestaltungsaufgabe

Dreh dich nicht um!
Die Blockaden lösen

Zu jedem Weg werden Seminare angeboten. In lockerer Folge erscheinen weitere Themenbücher, die unabhängig voneinander durchgearbeitet werden können.

Tb: € 10,00 (D) geb: € 18,80 (D) eBook: € 2,99 (D)

Auf künstlerischen
Wegen der Weisheit
entgegen

Empfangen der
Würde im Alter

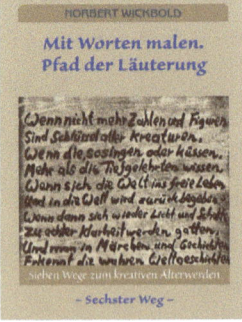

Mit Worten malen.
Pfad der Läuterung

Die Teile des Lebens
zum Ganzen
zusammenfügen

Der Autor:

Norbert Wickbold

1973- 1984 Lehr- und Gesellen-
   jahre als Elektriker,
   drei Semester Physik-
   Studium, UNI Bremen

1985- 1989 Diplom-Studium in
   Kunsttherapie/Kunstpäda-
   gogik und freie Arbeit als
   Dozent für künstlerische und literarische Kurse

1994 Altenpflegeausbildung, Arbeit als Altenpfleger

2001 Fortbildung zur Fachkraft Gerontopsychiatrie

2002 Abschlussarbeit: Kunsttherapie im Alter

2003 Beginn meiner schriftstellerischen Arbeit

2005 bis 2012 Leitung von Gedächtnistrainingskursen

2008- 2010 Master-Studium in Erwachsenenbildung

2007 Fertigstellung der 1.Fassung des Romans:
   • *Die Wiederkehr der Morgenlandfahrer*

2008 • *Norbert Wickbolds kleine Denkzettel*
   starten mit: *Das Henne-Ei-Paradoxon*

2010 • *Vom Sinn des Lebens, des Sterbens und der
   Aufgabe des Alters* in Heft 23 der Zeitschrift:
   »Psychosynthese«, Navo-Verlag, Zürich

2014 • *Wer weiß, wie wir mal werden?* wird im
   Tredition-Verlag, Hamburg veröffentlicht

2015 • *Die Wiederkehr der Morgenlandfahrer* und
   • *Was seht ihr denn? – 42 Gedichte und Gedanken*
   • *Denkzettel – Die ersten zehn*

2016 • *Denkzettel –die zweite Dekade (Staffel)*   Bis

2019 • *Denkzettel – dritte bis fünfte Staffel*

2020 • *Geschichten aus dem Paradies*
   • *Sieben Wege zum kreativen Älterwerden – Einleitung*
   • *Denkzettel – sechste Staffel*

2021 • *Die Bilder der Seele sprechen lassen*
   • *Denkzettel – siebte Staffel*

weitere Infos:

Norbert Wickbold
n.wickbold@heilkunstundfarbenpracht.info
www.heilkunstundfarbenpracht.de

Bücher erhältlich über
www.tredition.de/buchshop/

Zeitfracht Medien GmbH
Ferdinand-Jühlke-Straße 7
99095 Erfurt, Deutschland
produktsicherheit@kolibri360.de